광주의 근대 풍경

감성총서 30

광주의 근대 풍경

정경운 지음

근대 초 일본인의 광주 유입과 '광주번영회'

광주번영회와 한국인 지역 유지(有志)

광주읍 천정(泉町)의 궁민가옥 철거사건

식민도시화 정책과 오일장의 변화 과정

'광주권번'과 예기(藝妓)의 삶

문학들

책을 펴내며

한국의 근대를 공부하는 연구자라면 누구나 공감하겠지만, 근대 연구는 사료와의 싸움이라고 할 수 있다. 지금은 웬만한 자료들이 모두 디지털화 되어 찾고자 하는 키워드만 넣으면, 관련 자료들이 쏟아져 나오는 세상이 되었다. 하지만 내가 대학원 공부를 하던 시절만 하더라도 인터넷이 없던 상황이라 근대기에 산출되었던 신문, 잡지, 공문서 등 관련 자료들을 찾기 위해 전국 도서관들을 다니며 속속들이 뒤져야만 했다. 그렇다고 해서 충분한 자료들을 확보할 수 있는 것도 아니었다. 이런 방법으로 찾아낼 수 있는 자료들이 극히 제한적이었기 때문에 특정 역사적 사건이나 상황에 대한 사실 관계를 교차 검토할 수 있는 기회도 제한적일 수밖에 없었다. 이 때문에 나뿐만 아니라 상당수 연구자들의 근대기에 대한 초기 연구물들이 일정한 한계를 지닐 수밖에 없는 것도 사실이다. 특히 자료가 더욱 부실한 근대기 지역학 분야에서는 더더욱 이런 한계가 극대화되기 마련이었다. 문제는 사실 관계에 상당한 오류를 갖고 있는 1차 연구물들을 후진 연구자들이 아무런 검토 없이 그대로 인용하면서 그 오류들이 마치 사실인 것처럼 굳어지는 상황이 벌어지고 있다는 것이다.

광주의 경우도 예외는 아니었다. 글을 쓰기 위해 여러 사료들을 찾아가던 중, 광주 지역의 근대기에 관한 연구물들 중에서 유사한 상황을 발견했다. 인문·사회·문화 분야 등 다양하게 쏟아져 나온 연구물의 일부 내용들이 잘못된 사실을 상호 복사하면서 인용하는 상황이 반복되고 있었던 것이다. 이런 상황이 내가 한국 근대에서 지역 근대로 관심을 돌리게 된 결정적 계기였다. 더불어 지역 근대기에 관한 연구가 활발치 않아 비어 있는 영역이 생각보다 너무 많았다. 이 책에 수록된 5편의 논문들은, 앞의 두 가지 계기를 시작으로 작성된 것들이다. 1년에 한 편씩, 광주의 근대 풍경을 하나씩 채워간다는 마음으로 써나가다 보니 한 권의 책을 묶을 분량이 되었다. 가급적 기존의 자료나 연구물들에서 발견된 오류들을 바로잡으려 노력했으며, 학술지에 게재된 지 시일이 지난 논문들은 그 뒤에 발표된 연구들을 참조하는 동시에, 사료들을 더욱 보강해 보완·수정 작업을 거쳤다. 이 또한 몇 년 사이 근대 사료들이 더욱 많이 디지털화 되면서 가능해졌다.

이 책의 구성은 크게 제1부와 제2부로 나뉘어 있다. 제1부는 일제강점기 광주에서 지역 유지들을 중심으로 만들어진 단체였던 '광주번영회'를 다룬 것이다. 광주번영회는 일본인은 물론 한국인들도 가입되어 있던 단체로, 그 구성원들은 지역사회의 정치적·경제적 권력을 장악하고 있었던 지배계급으로서, 소위 풀뿌리 식민구조를 완성시키는 데 일조했던 자들이었다. 제1부가 지역사회에서 식민지배 계급이 어떻게 성장해나갔는가를 추적하고 있는 것이라면, 제2부는 그 식민지배의 시간을 견뎌내야 했던 피지배 계급을 다룬 것이라 할 수 있다. 여기서는 궁민(窮民), 상인, 권번의 기생 등이 관련된 지역사회의 사건들을 통해 이들이 근대적 시민주체로서 등장하는 장면과 더불어 당시 식민정책의 문제를 정리해 보았다. 각 장별로 다룰 내용의 개요를 정리하면, 다음과 같다.

제1장에서는 한일병합 직후 광주번영회를 조직했던 일본인들을 중심으로, 이들이 지역사회에서 토착세력화 되어가는 과정을 살폈다. 이들이 한국 정착을 목적으로 광주에 유입된 것은 1905년부터로, 주로 영농과 소상공인으로 출발해 자본을 축적하기 시작하면서 지역사회의 유력 집단으로

부상한 자들이다. 이들은 병합 이후 전개된 식민도시건설 과정에 광주번영회의 이름으로 개입을 시작하면서 지역의 유력 집단으로서 물적 토대를 마련한 뒤, 1920년대부터 대대적인 정치계 진입, 이를 기반으로 1930년대부터 '산업자본가'로 변신하는 모습을 보여준다. 여기서는 대규모 토목개발사업이 벌어졌던 시기마다 반복되었던 3번의 창립(1911·1922·1936)을 살피는 과정에서 이들이 어떻게 정·재계 네트워크를 공고히 하면서 풀뿌리 식민지배와 수탈구조를 만들어나가는지를 확인할 수 있을 것이다. 이 장의 뒷부분에는 글에서 거론되었던 일본인들의 인물정보를 부록으로 실었다. 아무래도 광주 근대기의 한국인에 비해 일본인에 대한 정보는 현재 일천한 상황이다. 이 때문에 자료조사에 상당한 시간이 소요되었음은 물론이다. 훗날 이 분야에 관심을 갖게 될 연구자가 시간 소모를 덜했으면 하는 마음에 정보를 공유하고자 했다.

제2장에서는 광주번영회에서 일본인들과 함께 활동했었던 한국인 지역 유지 집단을 다룬다. 당시 일제는 식민당국과 한국인들의 매개 장치이자, 식민통치에 대한 한국인들의 저항을 순화시키기 위한 목적으로 한국인 유지 집단을 육성하는데, 광주에서 한국인 유지들 대다수가 광주번영회 회원들이기도 했다. 이들은 기본적인 '재력'과 '학력'을 토대로, 지방의회(광주면협의회·읍회·부회 등)를 통한 정계 입문 및 광주번영회를 기반으로 일본인 유지 집단과의 관계망과 '[일제]당국의 신용'을 획득해나가면서 지역 유지로 성장한다. 그리고 다양한 유지 활동(자선 및 기부, 지역민원 해결 등)을 해나가면서 '사회 인망'을 확보한다. 이 과정에서 때로는 일본인 유지들과 협력하기도 하고, 때로는 한국인들의 이해를 관철시키기 위해 일본인들과 투쟁하기도 했다. 하지만, 상당수 유지들은 자신의 이권을 챙기기 위해서든 권력과 재산을 지키기 위해서든 친일부역에 몸담았으며, 이에 대한 보상을 챙긴 것도 사실이다. 이 장에서는 민족과 친일 사이,

그 중층적 경계에 존재했었던 한국인 유지 집단의 형성 과정과 성격을 정리했다.

제3장에서는 1932년 광주의 천정(泉町)에서 일어난 '궁민가옥 철거사건' 재구성을 통해, 일제의 빈민정책 문제 및 한국인들의 투쟁 과정을 다루었다. 이 사건은 1932년 7월, 광주읍 천정 일대에 형성된 빈민부락을 읍 당국이 강제로 철거하면서 시작된 것으로, 이 문제를 해결하기 위해 지역사회 한국인들이 조직한 '광주읍가옥철거구 궁민구제연구회'는 그해 12월까지 광주읍 당국과 교섭을 벌이면서 투쟁해나갔다. 이들의 투쟁은 비록 미완성으로 끝나게 되지만, 이 과정에서 궁민구제를 위해 나섰던 다양한 계층의 참여 양상(구제회 활동, 언론투쟁, 예산투쟁, 각종 기부 등)은 한국인들이 어떻게 시민사회 기반을 만들어나가는지를 잘 보여주고 있다. 더불어 천정에 대한 경험은 1936년에 동일한 상황이 벌어졌을 때 국내 최초의 집단이주계획('학강정 갱생이주'사업)을 이끌어내는 단초를 마련하게 된다. 이 사건은 일제 행정당국의 빈민에 대한 무대책, 이에 대응하기 위한 지역사회 한국인들의 자발적 조직의 구성과 지난한 투쟁, 시민의 관심과 원조, 그리고 빈민구제 예산을 이끌어내기 위한 한국인 의원들의 격렬한 논쟁과 그 결실에 이르기까지 여러 가지 숙고할 만한 지점들을 보여주고 있다.

제4장은 호남 지역 최대시장이었던 광주의 대표적인 오일장의 변화 과정을 다루었다. 최소한 1800년대 이전부터 광주천변에서 개시되었으리라 추정되는 2개의 오일장(큰장, 작은장)은 1925년부터 진행된 하천정리사업에 의해 하나로 병합되어 1931년에 광주신사(현 사직공원) 앞으로 이전한다. 이 '사정시장'은 정주식 신식시장이자 동시에 행정관청의 통제를 받는 공영시장이었다. 그러나 이 시장은 광주신사가 국폐소사로 승격되면서 1940년대 초에 다시 현재의 양동으로 이전해 한국전쟁 후부터는 완전한

상설시장으로 변화하게 된다. 양동시장의 역사는 단순한 시장 공간이동의 역사가 아니라, 여기에는 총독부의 '시장규칙'과 관련된 시장 통제와 관리 제도는 물론, 광주의 도시계획, 〈광주읍 시장사용규칙〉과 시장사용료 정책, 광주신사 부지와 관련된 종교 경관의 정치 등 다양한 요인들이 결부되어 있다. 이 장에서는 이러한 요인들을 추적하면서 전통적인 오일장이 일제강점기의 식민도시화 정책에 의해 어떻게 변화해나가는지를 밝혀 보고자 했다.

제5장은 일제강점기에 광주 지역에 존재했던 '광주권번' 운영방식의 변화 과정을 정리한 것이다. 조선 후기까지 '교방'을 중심으로 활동하던 관기들은 갑오개혁을 통해 면천이 되지만, 곧바로 이어진 일제강점에 의해 복합적 상황에 직면하게 된다. 1908년에 발포된 〈기생단속령〉과 〈창기단속령〉은 조선 내에 공창제를 확립시키는 근거가 되는 동시에, 일제강점기 내내 기생들을 옥죄는 장치가 된다. 동시에 이들은 식민자본적 시스템 속에서 자신을 대중상품으로 만들어야만 생존할 수 있는 상황에 놓여 있었다. '광주권번'의 역사 또한 바로 이같이 근대기 기생들이 당면했던 모순들과 그에 응전하는 투쟁을 그대로 투영하고 있다. 이 장에서는 1917년 '광주예기조합'의 출발, '광산권번'과 '광주권번'의 분화와 병합, 주식회사로의 전환, 그리고 기생들이 동맹파업을 통해 '자치 경영권'을 확보하는 과정을 추적해보았다.

이 다섯 편의 글은 서로 독립적이면서도 내용적으로는 연결되어 있다. 일제강점기라는 동일한 시간의 범주에 걸려 있다는 것만을 말하는 것은 아니다. 천정의 궁민가옥 철거사건과 광주 오일장의 변화 과정은 1925년부터 광주면이 진행한 '대광주건설계획' 중 하나였던 하천정리사업의 결과로 발생한 사안들이다. 광주천이 직강화되면서 2개의 오일장이 사정(社町)으로 이전하게 되고, 주택지로 불하할 계획이었던 천변부지에 궁민들이 모여들면서 빈민부락을 형성했던 것이다. 그리고 대광주건설계획과 같은 식민도시건설에 앞장서면서 대규모 토목사업에 적극 개입해 이권을 얻어냈던 자들이 바로 광주번영회 구성원들이었던 지역 유지 집단이었다. 또한 그들 중 일부 한국인들은 '광주예기조합'을 만드는 과정에 이름이 거론되기도 한다. 이런 측면에서 보자면, 각 장에서 등장하는 다양한 주체들(일본인과 한국인 지역 유지 집단, 궁민, 상인, 기생 등)의 행적을 살펴보는 작업은 광주 근대기의 복합적 풍경을 이해하는 데 도움이 될 것으로 보인다.

글 몇 편으로 광주의 근대를 이해한다는 것은 어불성설이다. 다만 이 책에 실린 글들이 독자들을 광주 근대로 초대하는 정도의 역할만이라도 했으면 하는 바람이다. 더불어 근대 자료들의 오류를 수정해 보겠다는 야심찬 생각에도 불구하고, 여전히 내 글의 일부가 오류를 담고 있을 수 있다. 이에 대해서는 앞으로도 끊임없이 공부하면서 수정의 수정을 거듭해나갈 예정이다. 이 책에 수록된 논문들을 써나가는 과정은 꽤나 재미있었다. 마치 퍼즐을 맞추는 작업 같은 경험이었다. 이런 재미를 혼자 지나치기에는 너무 아까워서 주변의 연구자들을 많이 괴롭혔다. 시시때때로 써나가는 논문의 내용을 소설 얘기처럼 전달하곤 했다. 기꺼이 들어주며 독려해주었던 그분들께 감사드린다. 나아가 광주광역시역사민속박물관의 조광철 선생님께는 특별한 감사를 드리고 싶다. 광주 근대에 관해서는 누구보다 해박한 지식을 갖고 계셔서 논문을 써나갈 때 많은 도움을 주신 분이다. 마지막으로 인문서적 출판이 아무런 이득이 없음을 알면서도 기꺼이 출판을 허락해주신 심미안의 송광룡 대표님께도 감사 말씀을 드린다. 광주 지역학에 대한 관심과 애정을 갖고 계셨기에 가능한 일이라 생각한다.

2022년 6월

광주에서 정경운 씀

차례

제2부

제3장_ 광주읍 천정(泉町)의 궁민가옥 철거사건

제4장_ 식민도시화 정책과 오일장의 변화 과정
– 광주 양동시장 이전사(移轉史)

제5장_ '광주권번'과 예기(藝妓)의 삶

제1부

●

제1장

근대 초 일본인의 광주 유입과 '광주번영회'

1. 풀뿌리 침략의 전조

한국사회가 일제강점기를 기억하는 방식은 조선총독부를 중심으로 한 '식민지적 수탈' 혹은 '지배에 대한 한국인들의 저항'과 같은, 양 극단적 이미지의 자장 안에서 놓여 있는 것이 일반적이다. 이런 이미지는 일제의 폭력성을 일층 강화하는 동시에 한국인의 저항성을 증폭시키는 효과를 갖기도 하지만, 다른 한편으로 자칫하면 식민지 삶의 맥락에서 제국주의적 침탈이 어떻게 속속들이 진행되었는지 간과하는 우를 범하기 쉽다. 한국인 삶의 침탈을 읽어내는 것에는 여러 가지 방식이 있을 수 있겠지만, 이 글에서는 일제강점기 지역사회의 재한일본인들에 주목하고자 한다.

당시 수탈정책의 정점에 조선총독부가 놓여 있음은 분명하나, 실제 식민지 삶의 현장에서 총독정치는 재한일본인이라는 특정 매개집단을 통해 개시되었던 것으로 보인다. 이와 관련해, 이규수는 식민지가 총독을 정점으로 한 관료와 경찰·군부에 의해 구축되었지만, 식민지 지배체제를 견고하게 만든 주역은 '보통'의 재한일본인이었음을 주장한 바 있다. 재한일본인의 존재는 제국의 식민지 침략과 수탈이 조선총독부와 국가권력의 지원을 받은 민간이 결탁해 총체적으로 수행되었음을 실증하는 실마리를 보여준다는 것이다. 이런 점에서 그는 고기종사(高崎宗司)의 말을 빌려, 일본의 식민지 통치는 '풀뿌리 침략', '풀뿌리 식민지 지배와 수탈' 구조로 이루어졌음을 분명히 한다.[1]

재한일본인들의 유입은 1876년 한일수호조약에 따라 부산·원산·인천이 개항되면서부터 시작된다. 같은 해 10월 '조선도항규칙' 철폐, '해외면장제도' 폐지(1879년), '거류인민영업규칙' 제정(1881년), '재조선국일본인민통상장정' 체결(1883년) 등을 통해 일제는 자국민들의 한국 유입을 가로막던 장애물들을 걷어내는 동시에 그들의 상업 활동을 적극 보호하는 장치들을 관철해나간다. 이에 따라 재한일본인들의 수도 점차 증가폭을 보이는데, 1876년에는 54명에 불과했던 거류민이 1881년에는 3,417명으로, 그리고 청일전쟁 직후인 1895년 말에는 12,303명으로 증가한다. 급기야 1899년 여권휴대 의무사항까지 폐지되고, 러일전쟁도 승리하면서 1906년 재한일본인 수는 56,339명으로 급증한다.[2]

개항장을 중심으로 재한일본인들의 유입 수가 증가하면서 그들은 자치조직을 구성해 학교, 병원, 도로, 상하수도 정비 등 거주에 필요한 기반시설을 만들어나간다. 자치조직은 초기에 '회의소', '총대역소', '거류민회', '일본인회' 등 단순한 조직체에서 시작했다가, 1905년 일제가 자국민 보호를 위해 「거류민단법」을 공포한 후 일본인이 집중 거주하는 주요도시에는

1 이규수, 「재조일본인의 추이와 존재형태-수량적 검토를 중심으로」, 『역사교육』 125, 2013, 38쪽.

2 개항 초기의 일본인 유입상황에 대해서는, 위의 논문, 41~42쪽;방광석, 「한국병합 전후 서울의 '재한일본인' 사회와 식민권력」, 『역사와담론』 56, 2010, 176~183쪽.;천지명, 「재한일본인 거류민단(1906~1914) 연구」, 숙명여대 박사논문, 2013, 16~22쪽을 참조.

'거류민단'이 대표적 자치기구로 자리 잡게 된다.[3] 그러다 한일병합 이후, 총독부에 의한 지배가 시작되자 거류민단은 해체될 수밖에 없었고, 거류민들의 자치권 또한 교육기관에 대한 운영으로 제한된다. 그동안 자체 과세를 축적하면서 상당한 재산을 불려왔던 특권이 사라지자, 이들은 기존 혹은 새로운 사회단체들로 재편하는 동시에 식민지 도시계획사업에 실질적 개입을 시도하면서 지역사회의 '유력자 집단'[4]으로 성장하게 된다. 이런 단체들 중 하나가 주요도시에 존재했었던 '번영회'이다.

광주 지역에 거주를 목적으로 한 일본인들이 유입된 것은 1905년부터이다. 이때 유입된 일본인들은 주로 영농업에 종사하거나 조선인을 상대로 하는 상인들이 대부분이었다. 이들은 1906년 '일본인회'라는 자치조직을 만들어 거주 기반을 마련해 나가는 데 힘쓰다가 한일병합을 기점으로 해산된다. 그리고 곧바로 이들은 1911년 '광주번영회'를 창립해 광주 지역 도시개발계획을 포함, 지역사회 전반을 운영하는 주도세력으로 부상한다. 이른바, 일본인들을 중심으로 한 '관–민 합작시대'가 광주 지역사회에 열리게 된 것이다. 이들은 또한 1920년대 들어 대규모로 정치계에 진출하면서 해방이 되기까지 광주의 정치·경제, 언론을 실질적으로 장악하는 주체가 된다. 또한 이를 전면적으로 주도했던 집단은 상인세력이었으며, 그들은 이 과정을 통해 상당한 자본 축적을 이루어낸다. 이런 측면에서 광주번영회는 '풀뿌리 침략', '풀뿌리 식민 지배와 수탈'의 전형을 보여주는 사례라 할 수 있다.

3 천지명, 위의 논문, 23~25쪽, 참조.

4 지수걸은 일제하의 '지방 유지'에 대해 일제가 강제와 동의에 기초한 국가헤게모니를 지방사회 내부에 관철시키기 위해 의도적으로 형성한 '총독정치의 매개집단'으로서, '재산(재력)'과 '사회 활동 능력(학력)', '당국의 신용'과 '사회인망'을 고루 갖춘 지방사회 유력자 집단(조선인, 일본인 포함)이라고 정의하고 있다(지수걸, 『한국의 근대화 공주사람들(한말 일제시기 공주의 근대도시발달사)』, 공주문화원, 1999, 206~207쪽).

이 글은 일제강점기 '광주번영회'를 중심으로 일본인들이 어떻게 정·재계 네트워크를 구축하게 되는지, 그 과정을 살펴보는 것을 목적으로 한다. 실제로 이들의 네트워크는 각종 이해관계로 서로를 공고히 묶는 거미줄처럼 엉켜 있었다. 이 관계도를 밝혀내는 작업을 통해 당시 광주 지역 일본인들이 어떻게 풀뿌리 식민구조를 만들어나갔는지를 가늠할 수 있을 것이다. 아직까지 광주번영회에 대한 연구는 없는 상황이다. 이와 관련된 사료 또한 1917년 북촌우일랑(北村友一郎)이 작성한 『광주지방사정』(이하 『사정』)에 한 문단 정도의 간략한 기록만 있을 뿐이다. 따라서 이 기록을 토대로, 당시 신문자료와 『조선인사흥신록』(조선신문사 편), 『조선은행회사조합요록』(동아경제시보사), 『조선총독부 관보』, 『조선총독부 및 소속관서 직원록』, 『경성시민명감』(조선중앙경제회 편) 등의 자료를 통해 광주번영회 핵심 구성원들의 개별기록들을 수집, 관계망들을 정리할 것이다.

2. 일본인들의 광주 유입과 '일본인회'

현재 확인할 수 있는 기록으로 볼 때, 광주에 일본인이 최초로 들어온 것은 1897년이다. 1895년 10월 목포항이 개항된 후, 1897년 일본불교를 포교하러 들어온 오촌원심(奧村圓心)이다. 그는 목포를 통해 광주로 들어와 부동방면 보작촌(현 불로동 천변)에 땅을 주선 받아 포교소를 만들고, 이듬해 들어온 누이 오촌오백자(奧村五百子)와 함께 조선인을 상대로 잠업기술을 전수하기 위해 오촌실업학교를 설립했다. 하지만 오촌원심이 1899년 귀국하면서 포교 활동의 동력이 떨어지고, 1900년 북청사변이 일어나자 오백자 또한 학교를 후임에게 맡기고 만주로 떠나면서 실업학교도

점차 쇠퇴의 길로 들어서게 되었던 것 같다.[5]

민간인 거류자로서 일본인들이 광주에 들어오기 시작한 것은 1905년부터이다. 주로 목포항을 통해 들어온 이들은 이미 일본인이 포화상태에 이른 목포를 벗어나 "신천지 개척"[6]을 위해 광주로 들어왔다. 주로 영농에 종사하거나 과자점, 잡화상 등을 열어 생업을 이어나가는 소상인들이 대부분이었다. 1906년 초반까지 10여 명 정도에 불과했던 일본인은 연말에는 41호 116명으로, 1907년에는 116호 387명(당시 광주시가지 총인구;1,904세대 6,907명), 1909년에는 267호 908명, 1910년이 되면 412호 1,314명까지 늘어난다.[7]

이 시기에 내륙지방으로까지 일본인들의 본격 진입이 이루어질 수 있었던 것은 일제의 통감정치 때문이었다. 1905년 을사조약 조인에 의해 12월에 일제는 '통감부급이사청관제(統監府及理事廳官制)'를 공포하고, 12개 지역에 이사청을, 11개 지역에는 그 지청을 설치하면서 본격적인 통감정치의 시대가 열린다. 이에 따라 1907년 광주에도 지청이 설치되어 목포

---

5 오촌원심은 일본 대곡파(大谷波) 승려로, 그가 속한 본원사는 1877년 근대 일본불교계에서 처음으로 부산, 원산 등지에서 조선 포교를 개시했는데, 이때 오촌원심이 파견된 바 있다. 포교 활동을 하다 1882년 임오군란이 발생하자 귀국한 그는 다시 1897년 조선으로 건너와 광주에서 포교 활동을 개시했다. 오촌 남매는 오촌실업학교까지 설립하면서 상당한 공을 들였으나, 그들이 이 지역을 떠난 이후 후임자들이 연일 바뀌면서 포교 활동은 물론 실업학교의 운영도 실질적으로 중단되는 상황에 이르게 된 것으로 보인다. 하지만 이때 학교 운영을 위해 같이 들어온 일행들이 광주에 지속적으로 거주했는지는 확인되지 않는다.(북촌우일랑, 『광주지방사정』, 1917, 43~44쪽.;山本淨邦, 「대한제국기 광주에 있어서의 오쿠무라(奧村) 남매 진종포교·실업학교 설립을 둘러싸고」(『민족문화연구』 57, 2012)를 참조)

6 초기에 광주 재한일본인들의 회고에 따르면, 이들은 광주로 들어오게 된 이유를 주로 "신천지 개척"이라고 말하고 있다(「옛날을 생각하며」, 『목포신보』, 1931. 5. 1.~4. 참조). 이미 개항 이후부터 일본인들이 넘쳐났던 목포나 나주보다는 내륙에 위치해 있어 일본인들이 거의 없었던 광주가 이들에게는 생계를 위해 새롭게 개척할 수 있는 시장으로 판단되었던 것이다.

7 광주직할시사편찬위원회, 『광주시사』(제2권), 1993, 262쪽.

이사청의 부이사관 좌등금조(佐藤金助)가 근무를 시작한다.[8] 이와 동시에 통감부 경무고문부도 설치되어 일본인 고문이 관찰부에 상주하고, 순사도 15명이 배치된다.[9] 그리고 1908년에 한국인 도관찰사를 감독하는 일본인 지방관 도서기관을 광주에 내려보내 내정을 직접 집행하는 차관정치를 개시함으로써, 광주 지역은 다른 지역과 마찬가지로 이때 이미 실질적으로 일본인들에 의해 장악된다. 이외에도 1906년 광주농공은행의 설립, 1907년 광주와 목포개항장을 잇는 광·목 간 도로의 건설, 1908년 30여 명의 일본인 판·검사로 구성된 광주재판소 신설 등도 잇따르면서 내륙의 식민거점도시로 성장할 수 있는 발판을 마련하게 된다. 특히 광주는 호남의병과 관련된 '전남폭도대토벌작전(1909)'을 전후해 대대본부가 설치되었던 만큼, 민간인 외에도 훨씬 많은 수의 일본인들이 상주하던 곳이었다. 광주에 초기 유입된 일본인들은 이러한 정치·사회적 상황을 배경으로 점차 자신들의 입지를 굳혀 나갈 수 있었던 것이다.

이 과정에서 일본인들은 거류민 수가 점차 늘어나자, 학교, 위생, 소방, 경비 등 생활에 필요한 기반들을 구축해 나가는데, 이를 주도했던 것이 '광주재향군인단(1906. 1. 창립)', '일본인회(1907. 3. 창립)' 등과 같은 자치조직들이었다. 이 중 광주재향군인단의 역할이 주로 의병 토벌을 위해 광주에 주둔해 있던 수비대가 타 지역으로 출동할 때 그 빈자리를 대신하거나 지역 소방에 집중되어 있었던 것을 고려하면,[10] 일본 민간인 사회의 자치에 관한 실질적 주도는 일본인회에 의해 진행된 것으로 보인다.

광주 일본인회에 대한 구체적인 자료는 현재로선 찾을 수가 없다. 다만

8 이사청에 관해서는 한지헌, 「1906~1910 통감주 이사청 연구」, 숙명여대 박사논문, 2016을 참조.

9 「韓國警務顧問部에서 日本 各府縣에서」, 『황성신문』, 1906. 12. 17.

10 북촌우일랑, 앞의 책, 95, 110쪽.

『사정』에 회장단의 계보와 평의원 명단 일부가 기록되어 있을 뿐이다. 이 책에서 정리한 회장단의 계보는 삽곡태길(澁谷太吉;1대/농공은행장)-길촌궤일(吉村軌一;2대/잡화상)-좌구간시삼랑(佐久間時三郎;3대/영농)-진전순일(津田順一;4대/자료없음)-송전덕차랑(松田德次郎;5대/양조장) 등이다.[11] 삽곡태길은 1906년에 광주농공은행장을 맡다가 1908년 해주로 전임하는 경제관료 출신이다.[12] 그를 제외하면 나머지 5명은 모두 광주 거류민들로, 영농 혹은 상업에 종사하는 자들이다. 이런 직업적 특성은 평의원들에게서도 똑같이 나타난다.

회장단이 바뀔 때마다 평의원 명단도 약간의 변화를 보였을 가능성이 있지만, 『사정』에는 이를 구분하지 않고 몇몇 주요인사들의 명단만 밝히고 있다. 그런데 여기서 북촌우일랑은 총 10명의 평의원 명단을 거론하면서 특정 몇 사람에 대해 1917년 현재도 "광주의 중심인물"임을 언급하고 있다. 송전덕차랑·점야행시(占野幸市;주조장)·정통심삼랑(井筒甚三郎;잡화상)·관미삼랑(管彌三郎;영농)·전전정태(前田定泰;광산업)[13]·길촌궤일 등 6명이 그들이다. 그리고 편강의(片岡議)·이등구지(伊藤久志)·판정의헌(坂井義憲)·송정호지조(松井虎之助) 등 4명은 이미 퇴직, 전직하거나 고인이 되었다고 밝히고 있다. 일단 후자 집단은 차치하고, "현재 광주의 중심인물"로 꼽히고 있는 6명 중 5명이 상업, 광산업 등 경제 분야에 속하는 인물들이다. 이 시기에 다른 지역의 일본인 자치조직들이 지역 공공기관이나 공기업의 대표들이 회장단과 평의원을 구성하고 있다가 한일병

11 일본인회의 회장단 계보와 평의원 명단은, 위의 책, 45쪽.

12 조선중앙경제회 편, 『경성시민명감』, 1922, 348쪽.

13 전전정태는 언제 광주에 들어와 어떤 일을 했는지 자료를 찾을 수 없으나, 1911년 총독부 관보에 '사금채취허가'와 관련해 기존 광산의 면적을 확장한다는 기록을 볼 때, 그 이전부터 광산업에 종사해왔을 가능성이 높다(「조선총독부 관보」 377호, 1911. 11. 29.).

합 이후 중소상공인들에게 주도권이 넘어갔던 데 비해,[14] 광주는 초기부터 민간경제계에 집중되고 있는 특성을 보여준다.

일본인회는 한일병합 직후인 1911년 해체되는데, 이 경제계 집단은 병합 이전부터 광주 지역사회의 주도권을 잡아 기반을 구축한 후, 병합 직후 '광주번영회'를 조직해 당시 본격적으로 전개되기 시작한 도시개발에 적극 개입하는 주도 세력으로 떠오른다. 그리고 이러한 활동 양상은 1920년을 전후해 정치계에 대거 진출함으로써 더욱 강화된다. 양조장을 운영하던 송전덕차랑은 이후 광주번영회장, 총독부 토지조사위원(1914~1917), 광주학교조합장, 광주면장(일본인 초대면장), 전남도 평의원 등을 통해 지역 내 일본인들의 강력한 구심점 역할을 해내게 된다. 잡화상이었던 길촌궤일 또한 광주번영회장, 광주학교조합장, 광주면장(3대)을 역임하며, 역시 잡화상이었던 정통심삼랑은 1920년 광주면협 의원으로 당선된다. 좌구간시삼랑은 광주번영회장을, 점야행시도 토지조사위원(1912), 광주번영회 평의원(1922)을 지낸다.

松田德次郎(1866~?). 후쿠오카(福岡県) 출신으로, 1907년에 광주에 들어와 양조업을 시작해 한일병합 직후에는 광주 지역 대지주 명단에 오를 만큼 지역사회의 유력자로 자리 잡게 된다. 이미 1910년대부터 '광주의 중심인물'이자 '광주건설의 원로'라는 평가를 받고 있었으며, 실제로 당시 일본인들의 신망이 상당히 두터웠던 것으로 보인다. 일본인회장, 광주학교조합장, 광주면장, 위생조합장, 광주소방조합장, 전남지방

14 박철규, 「부산 지역 일본인 사회단체의 조직과 활동-1910년대를 중심으로」, 『역사와경계』 56, 2005. ; 오미일, 「식민지 조선의 일본인 사회와 지역 단체-원산 지역을 중심으로」, 『역사문제연구』 34, 2015.

토지조사위원회 위원, 광주전등주식회사 전무 취체역, 광주번영회장, 전남도 평의원 등 요직을 두루 거치면서 지역사회 내 정치적 영향력을 강화해 나갔을 뿐만 아니라, 이를 토대로 사업적 측면에서도 엄청난 성공 가도를 달리게 된다. 1919년 다른 양조장들을 통폐합시켜 양조업 외에 자동차와 부속품 판매까지 더해 자본금 20만 원의 '광주주조주식회사'를 창립했으며, 1932년에는 '복강현농사주식회사'를 창립해 영농자금 대부업까지 확장한다. 자신의 기업 운영 외에도 지역 내 일본인들이 창립한 기업들의 중역을 겸임하는 등, 광주 지역사회 안에서 그의 영향력은 막강했던 것으로 보인다. 송전덕차랑의 부의 축적과 정치권력의 강화 과정은 일제강점기 지역사회에서 어떻게 민간인이 풀뿌리 식민지배와 수탈구조를 만들어내는지를 전형적으로 보여준다고 할 수 있다.

이들은 이 과정에서 사업장을 확장시키거나 사업가로 변신하면서 자본을 축적하기 시작한다. 송전덕차랑은 지역 양조장을 통폐합해 '광주주조주식회사'(1919)를 차려 주류 판매망을 이용해 자동차 판매까지 겸하는 동시에 '복강현농사주식회사'(1932)를 창립해 영농자금대부업에 뛰어들며,[15] 정통심삼랑은 주택·토지 및 광산 투자자로 변신한다.[16] 전전정태는 전남 각 지역으로 광산 투자를 확장하며[17], 영농업자였던 좌구간시삼랑도 광산 투자자로 전환한다.[18] 그리고 병합 직후 전국적으로 토지조사가 시

15 『조선공로자명감』 212쪽;『조선총독부시정25주년기념표창자명감』 992쪽;『조선은행회사조합요록』(동아경제시보사, 1921~1942년판).

16 북촌우일랑, 앞의 책, 70쪽.

17 『조선총독부 관보』 414호(1912. 1. 17.), 90호(1912. 11. 16.).

18 『조선총독부관보』 416호(1928. 5. 21.)에 좌구간시삼랑의 사망으로 인해 화순군 동면 공동광업권자 탈퇴가 명기되어 있을 것을 볼 때, 사망 직전까지 광산업에 투자하고 있었음을 알 수 있다.

행될 때, 광주 지역 지주 대표로 논의테이블에 등장한 일본인들은 송전덕차랑, 정통심삼랑, 점야행시 등 3인이었다.[19] 이 당시에 이들은 이미 대토지 소유자가 되어 있었던 것이다.

한편, 『사정』에는 일본인회 해체에 대해, "1910년에 총독부가 학교조합령을 발표하자, 광주도 다음 해 1월 광주학교조합의 성립을 보게 되고, 자연히 일본인회의 해산이 이루어졌다"(46쪽)고 기술하고 있다. 이로 볼 때, 일본인회의 해체는 광주학교조합의 창립과 연동되어 있음을 알 수 있다. 이는 당시 광주학교조합의 성격이 단순치 않았음을 간접적으로 시사한다. 일제는 병합 이후, 총독부의 중앙집권적 지배를 위해 일본 거류민들의 자치조직을 해체하고 지역의 학교조합에만 자치권을 제한하는 조치를 취한다. 이 조치는 거류민사회의 상당한 저항을 받게 되지만, 결국 시간이 지나면서 자치조직들은 해체되어 거의 대부분 학교조합으로 갈아타는 수순을 밟는다.[20] 다시 말해, 학교조합이 종래의 일본인 단체들을 대신할 '대체조직'이 된 것이나 다름없었다. 『사정』에서 '광주학교조합의 성립이 자연히 일본인회의 해산'으로 이어졌다는 내용은 이 맥락에서 이해할 필요가 있다. 더불어 이는 일본인회의 구성원이 그대로 광주학교조합의 구성원으로 승계되었다는 것을 의미한다. 광주학교조합의 이런 성격은 '광주번영회'의 핵심 구성원들을 파악하는 데 중요한 단서가 된다.

---

19 「광주토지준비조사」, 『매일신보』, 1912.11.19.

20 일본인 단체 중에서 다수를 차지하던 일본인회도 1911년 말경에 이르면 함흥일본인회 1개 외에는 전부 학교조합으로 변경된다. 학교조합에 대해서는 조미은, 「일제강점기 재조선 일본인 학교와 학교조합 연구」, 성균관대 박사논문, 2010, 98쪽.;이동훈, 「'한국병합' 전후 재조일본인 교육 사업의 전개-거류민 단체에서 학교조합으로-」, 『한림일본학』 32, 2018, 136~142쪽. 참조.

3. 광주번영회와 정·재계 네트워크

광주번영회는 1911년 4월 창립한다. 광주학교조합의 설립이 같은 해 1월이었으니, 두 개의 조직이 연달아 만들어진 것이다. 그런데 주목할 점은 광주번영회의 창립이 이때만 있었던 것이 아니라는 점이다. 10년 뒤인 1922년 9월, 그리고 다시 5년 뒤인 1936년 9월 등 총 3번의 창립을 반복하는 양상을 보여준다. 물론 시간이 지나면서 새로운 세대의 진입이 이루어질 수밖에 없지만, 그렇다고 해서 모든 조직들이 이때마다 창립을 반복하는 것은 아니다. 그런 점에서 광주번영회의 반복적 창립은 분명 일반적인 조직에서는 보기 힘든 경우다. 그렇다면, 왜 이들은 창립을 거듭 반복했을까? 이들이 그런 반복을 통해 동력을 잃지 않으려 했던 이유는 무엇일까? 여기서는 3번의 창립과정을 따라가면서 시간적 맥락에 따른 이유들을 밝혀 보기로 한다.

광주번영회의 등장

먼저 첫 번째 창립과 관련하여 『사정』에는 광주번영회가 “1~2류의 유력자로 구성”(46쪽)되었음을 밝히면서 회장 계보만 명기하고 있을 뿐, 평의원이나 회원들의 명단은 아예 없다. 1911년부터 1917년까지 역임한 회장은 송전덕차랑(1대)-좌구간시삼랑(2대)-송전덕차랑(3대) 순이다. 비록 평의원이나 회원 명단은 없지만, 앞에서 살핀 광주학교조합의 평의원 명단을 통해 대략 번영회의 핵심 구성원들을 추정해낼 수 있다. 어차피 광주학교조합이 지역 유력자들로 구성된 일본인회를 그대로 승계해냈다면, 연이어 조직된 번영회의 구성원도 그대로 옮겨왔을 가능성이 높기 때문이다. 1911년 광주학교조합의 제1기 평의원 명단과 『사정』이 출판된 1917년 당시의 평의원, 그리고 1917년까지 역대 조합장 계보는 다음과 같다.

- 제1기 평의원(9명): 松田德次郎, 佐久間時三郎, 管彌三郎, 吉村軌一, 井筒甚三郎, 河本太作, 占野幸市, 片岡議, 伊藤久志
- 1917년 평의원(10명): 伊藤繁, 近藤晋次郎, 長谷川威亮, 安藤廣次郎, 千原靜男, 相馬與作, 原田慊造, 占野幸市, 河本太作, 松井理三郎
- 역대 조합장: 高橋慶太郎 – 久保山順一 – 吉村軌一 – 佐久間時三郎 – 松田德次郎

위의 평의원 명단에서 하본태작을 제외한 나머지 8명은 모두 일본인회에서 언급되었던 인물들이다.[21] 또한 이들은 역대 조합장과 1917년 평의원 명단에서도 발견된다. 특히 송전덕차랑과 좌구간시삼랑이 서로 돌아가며 광주번영회와 학교조합의 회장을 역임하고 있었다는 사실은 두 조직의 구성원들이 거의 대부분 겹쳐 있을 가능성이 높다는 사실을 반증한다. 그리고 이들 중 1대 조합장을 지낸 고교경태랑(경성으로 이전)과 편강의(여수로 이전) 외에, 다른 사람들은 당시는 물론 이후에도 광주의 정치·경제계를 주도하는 지역 유력자들이다. 여기서 1917년 평의원 일부는 1911년에 창립한 광주번영회 활동을 같이한 것으로 보이지는 않지만, 이들은 1922년 2번째 창립멤버들인 동시에 정치계로 입문한 자들이라는 점에서 주목할 필요가 있다.[22]

한편, 이들의 직업군을 살펴보면 일본인회와 마찬가지로 대부분 경제

21 하본태작도 앞에서 언급만 되지 않았을 뿐, 학교조합의 1기 평의원에 이름을 올린 것이나 1917년 광주면 구장을 지낸 것을 보면 일본인회 활동을 했었을 가능성이 높다(북촌우일랑, 앞의 책, 50쪽).

22 『사정』에는 1917년 광주번영회의 활동이 유명무실하다고 기록되어 있다(97쪽). 활동이 거의 중단된 이런 상황에서 새로운 회원을 받지 않았었을 가능성이 크다. 1917년 평의원 중에서 안등광차랑·천원정남·상마여작·원전겸조·송정리삼랑 등 5명은 1922년 두 번째 창립에 참여한 자들이며, 특히 안등광차랑·상마여작·송정리삼랑 등 3인은 1920년대 정치계로 입문한 자들이다. 이에 대해서는 뒤에서 자세히 다루기로 한다.

계에 집중되어 있음을 볼 수 있다. 총 19명에서 자료 확인이 안 되는 3명(근등진차랑, 이등구지, 하본태작)을 제외한 16명 중, 상업(사업 포함) 8명, 영농 4명, 공기업 출장소장 2명, 언론 1명, 관료 1명의 순이다.[23] 일견하면, 상업종사자가 8명으로 50% 정도로 보이지만, 당시 영농업에 종사하던 자들이 대부분 토지·주택·광산 투자, 사금융업을 겸하고 있었다는 사실을 감안하면[24] 대부분 경제계에 속한다고 할 수 있다.

앞서 언급한 것처럼, 광주학교조합이 광주번영회와 구성원을 공유했었음을 전제한다면, 왜 이들은 학교조합을 놔두고 광주번영회라는 새로운 조직을 창립해야만 했을까? 이는 1910년 한일병합 이후 본격적으로 전개되기 시작한 도시개발과 관련된 것으로 보인다. 『사정』에서는 광주번영회가 "네 거리의 개정(市區改正), 공원의 설치, 도로의 개통 기타 오늘의 광주의 발전에 일부의 공로를 받쳤"(97쪽)다고 기록하고 있다.[25] 학교조합이 사실상 학교운영과 직접 관련된 사업에만 자치가 허용되었던 상황을 고려하면, 도시개발은 그 자치의 범주를 넘어선 영역이었던 것이다. 따라서 도시개발에 적극 개입하기 위해서는 별도의 조직체가 필요했던 것으로 판단된다. 물론 이런 민간조직이 만들어진 데에는 관의 적극적 지원이 분

23 공기업(고교경태랑:동양척식주식회사 광주출장소장, 상마여작:조선면화주식회사 광주출장소장), 영농(관미삼랑·구보산순일·안등광차랑·좌구간시삼랑), 상업 및 사업(송전덕차랑:주조장·길촌궤일:잡화상·송정리삼랑:잡화상·이등번:양조장·점야행시:주조장·정통심삼랑:잡화상·천원정남:전당포·원전겸조:삼평조 지배인), 언론(편강의), 관료(장곡천위랑:광주지방법원 감독서기). 이와 관련한 자료로는 북촌우일랑, 앞의 책, 58~70쪽;『조선인사흥신록』, 1935, 256쪽;『조선총독부시정25주년기념표창자명감』, 1935, 535쪽. 참조.

24 좌구간시삼랑은 애초에 농사를 짓다가 1910년대가 되면 원전겸조가 관리하던 토지투자회사인 '삼평조'에 상당 부분 토지를 매각하고, 이후 광산업에 투자한 것으로 추정된다. 하지만 이 당시에도 소작 대부는 물론 주택과 토지를 상당수 소유하고 있었다. 안등광차랑은 금융 및 영농 투자자이다.(북촌우일랑, 앞의 책, 73~74쪽, 참조)

25 광주번영회가 개입했던 '시구개정, 공원설치, 도로개통'에 대한 자세한 내용은 광주직할시사편찬위원회, 앞의 책, 187~190쪽 참조.

명 있었을 것으로 보인다.[26] 1914년 8월 25일자, 광주의 시구개정 상황을 다루고 있는 2개의 기사는 이를 뒷받침해준다.

> 서문외 시구개정에 취하여는 근일 번영회의 중요 각 인 및 관계 지주 등이 천본대작 씨 집에 집회한 결과로 착수하기로 결의되어 위원을 설함은 기보와 여하거니와 그후 위원 제씨는 당해 관청에 교섭하였더니 관청에서도 지구 도로의 확장이 급무됨을 인하던 터인 고로 그 공사에 대하여는 가급적 편의를 여하기로 정하였으므로 번영회는 오는 9월 초순부터 공사에 착수하기로 되고 관계 지주된 내선인에게 정식으로 도로지소 제공하기를 교섭한즉 관계 지주도 그 대부분은 승낙하였는 고로 하등의 이의가 없고 양 3일 중 번영회에서 지목 변환 등의 절차를 광주군청에 출원 중이오. 공사전 준비는 유루가 없이 진보하였고 차 공사에 대하여는 별항과 같이 광주 감옥의 측근 전옥의 후의로써 수도를 사역하게 되었다더라.
>
> -「전라남도, 市區 개정」,『매일신보』, 1914. 8. 25.

> 동 군 감옥의 측근 전옥은 광주번영회가 서문 외 시구개정에 취하여 열성 노력하여 그 실행의 임에 당하는 미거를 찬성하여 광주발전상 감옥에서도 상당한 조원을 여하기로 하여 도로확장공사에 인부 1200인(囚徒:수인의 무리)을 극렴한 공적으로 사역함을 특할 편의를 여하였

26 『광주시사』(제2권)에서는 광주번영회가 "도시개조와 관련된 각종 공공사업의 효율적 추진을 위해 관 특히 도 경무부의 적극적 후원 아래 구성된 일종의 협의체였던 것 같다"(187쪽)고 추정하고 있다. 당시 광주가 행정기반시설을 구축하기 위해 필요한 토지를 소유자들과 협의, 기부 형식으로 마련하고 기부와 부역으로 사업경비를 충당하는 것이 일반적이었을 것임(189쪽)을 감안하면, 광주번영회의 창립을 관에서 먼저 독려했을 가능성이 크다.

으므로 광주번영회에서는 전옥의 후의를 감사한다더라.

-「전라남도, 典獄 厚意」, 『매일신보』, 1914. 8. 25.

위의 기사들은 광주 서문외 시구개정 문제를 해결하기 위해 광주번영회가 어떤 역할을 하고 있는지 잘 보여주고 있다. 즉 번영회는 새로운 도시건설에 무엇보다 도로의 확장이 시급하다고 보고 이를 착수하기로 결정한 뒤 해당 관청에 교섭했다는 것, 도로확장에 필요한 토지를 지주들에게서 기부 받기로 합의하고 번영회에서는 지목변환 등의 절차를 광주군청에 출원 중이라는 것, 그리고 광주군 감옥에서는 번영회의 열성에 감동하여 수인 1,200명을 투여하기로 했다는 내용이다. 이를 보면, 사실상 관에서 집행해야 할 일을 광주번영회가 결정, 추진하고 있는 것과 관은 뒤에서 지원하는 정도의 역할을 하고 있다는 것을 알 수 있다. 형식상 '관민협조'라고 볼 수는 있지만, 내용적으로는 번잡스러운 일들을 관을 대신해 광주번영회가 도맡고 있었던 것이다. 어떻든 광주번영회는 이런 측면에서 공공적 성격을 갖는 민간조직이라 할 수 있는데, 『사정』에서도 광주번영회를 '공공단체'로 분류하고 있는 데서 이를 확인할 수 있다.[27] 물론 새로운 식민도시를 건설하는 데 내지인으로서 공적 봉사에 기꺼이 참여했다고도 볼 수 있지만, 시구개정을 위시한 도로건설 과정에서 번영회 구성원들 또한 상당한 이득을 보았을 것으로 여겨진다.[28]

『사정』은 이렇게 열성적인 광주번영회의 활동이 1917년 현재 "거의 유

27 『사정』에서는 광주번영회, 일본적십자사지부, 애국부인회 광주지부, 제국재향군인회 광주지부 및 분회, 광주보호회 등 5개 조직을 공공단체로 분류하고 있다(99~100쪽).

28 광주직할시사편찬위원회, 앞의 책, 189쪽 참조. 실제로 병합 이전에 유입된 재한일본인들은 주로 토지 집적과 임대업을 기반으로 자본을 축적하는데, 병합 이후 이들이 영구 임대한 토지는 대부분 불하받게 된다(김경남, 「일제강점 초기 자본가 중역겸임제에 의한 정치·사회적 네트워크의 형성」, 『한일관계사연구』 48, 2014, 265쪽).

명무실한 해산상태"(101쪽)에 있다고 전하면서, "그러나 면제의 개선의 결과로 이들의 기능은 면사무소에 의하여 발휘될 수 있으리라고 기대되고 있는 중이다"고 첨언하고 있다. 번영회의 실질적 해산 상태가 면제 개선과 연관이 있음을 말하고 있는 것이다. 실제로 1917년은 광주가 '지정면'이 된 해이다.[29] 지정면이 되면서 광주는 기존의 한국인 면장에서 일본인 면장으로 전환하는 시점을 맞이한다. 그리고 그간 일본인회와 광주학교조합, 광주번영회 등 주요 조직들의 수장을 맡았던 송전덕차랑이 초대면장이 된다. 광주번영회장, 광주학교조합장을 역임했던 길촌궤일 또한 3대면장이 된다.[30] 지금껏 민간조직으로만 떠돌다 공식적인 관료의 세계로 들어서게 되는 이 장면은 광주의 일본인 유력자들, 특히 경제계 인사들이 대대적으로 정치계로 진입하는 서막을 여는 것이었다. 즉, 일본 민간인들이 그동안 축적한 자본을 토대로 지역의 유력 집단으로 행세하다가 실질적인 정치권력까지 손에 쥐는 시대가 곧 도래하는 것이다.

일본인 유력 집단의 정계 진출

광주번영회가 두 번째 창립을 시도한 것은 1922년 8월이다. 그동안 "유명무실한 해산상태"에 있다가, 다시 전열을 정비한 동기는 1920년에 지역 이슈로 떠올랐던 '대광주건설계획'과 관련된 것으로 보인다. 1920년은 광

29 일제는 그들의 행정상 지배권을 강화하기 위해 1917년 6월 「面制」(총독부 제령 제1호) 공포로 지정면과 보통면을 구분하고, 전국에 24개 면을 지정면으로 지정한다. 주로 일본인들이 많이 거주하는 주요 도시들을 지정면으로 선정했다. 1917년 말 광주 총인구는 10,860명으로, 일본인은 2,569명이었다(북촌우일랑, 앞의 책, 48쪽.).

30 1920년대까지 광주면장 계보는 다음과 같다. 松田德次郎(1917. 10~), 三浦快哉(1918. 7~, 군인 출신), 吉村軌一(1919. 7~), 福本有雅(1921. 2~, 관료 출신), 秋場格太郎(1923. 6~, 법조계 출신), 倉品益太郎(1925. 1~, 관료 출신), 奧村信吉(1930~, 관료 출신) 순이다(윤현석, 「식민지 조선의 지방단체 광주(光州)에 관한 연구」, 전남대 박사논문, 2015, 64~67쪽 참조).

주에서 면협의회가 처음으로 구성된 해이다. 총독부는 1920년 7월에 「면제」를 개정(제령 제13호)하여 지방단체가 자문기구로 면협의회를 설치하도록 한다. 이에 광주에서도 10월에 면협 회원선거가 치러지는데, 이 선거기간에 지역 내 가장 큰 이슈로 떠올랐던 것이 '대광주건설'이었다. 당시 9월에 광주에서 콜레라가 만연해 상당수의 사망자가 발생하게 되는데, 이때 지역의 위생과 하수시설의 문제를 제기하는 과정에서 '대광주건설'의 필요성이 지역사회에 등장하게 된다. 당연히 이 사안은 선거전에서 이슈화될 수밖에 없었다. 그리고 1921년 1월, 당시 광주군수 창품익태랑은 광주면장 길촌궤일과 함께 '대광주건설계획'을 주창하게 된다.[31] 이 계획은 향후 광주에서 대규모 토목사업이 전개되는 토대를 제공한다. 1920~1930년대에 걸쳐 광주의 모든 사업이 '대광주건설'이라는 표어 아래 진행되기 때문이다.

그렇다면, 일단 광주의 1920년대를 설명할 수 있는 면협의회 구성과 대광주건설의 맥락에서, 광주번영회는 어디쯤에 위치하고 있었을까? 이를 알아보기 위해, 2번째 창립(1922. 8. 28.)과 관련하여 3가지 사안(회칙, 평의원, 회장)을 중심으로 검토해 보자. 먼저 창립총회 때 발표된 번영회 회칙은 다음과 같다.

제1조 본회는 광주번영회라 칭하고 광주시민으로서 조직함.

제2조 본회는 좌의 강령에 의하여 여론을 선명하고 차의 수행함을 기함.

31 광주직할시사편찬위원회, 앞의 책, 193쪽;「대광주계획협의, 면장군수제창에 관련」,『조선신문』, 1921. 1. 25. 또한 이들이 표방한 도시건설이라는 것은 일본인 사회 위주로 진행되었다. 철저하게 일본인 거주지역을 중심으로 펼쳐진 사업들에 한국인은 대부분 배제될 수밖에 없었다. 도시개발이 이렇게 진행되는 것에 대한 한국인들의 문제제기도 지속적으로 잇따랐다.(이에 대해서는, 윤현석, 앞의 논문, 2015, 120쪽;「광주면협의원 선거에 제하여」,『동아일보』, 1926. 11. 8.);「같은 부민에 같은 세금에 시설 차별은 고사하고 아스팔트 길에도 물 뿌리지 않아」,『동아일보』, 1936. 4. 1.) 참조).

① 도시의 수립과 그 완성

② 광주 상권의 확장

③ 교육기관의 완비

④ 부제(府制)의 실현

⑤ 사회시설의 정비

⑥ 기타 필요의 사항

제3조 본회는 시민 대표위원 약간 명을 공선하고 위원의 호선으로써 회장 1명, 부회장 2명 및 상임 약간 명을 정함.

제4조 역원의 임기는 2개년으로 하고 총회에서 개선함.

제5조 본회의 경비는 위원 거금(醵金)으로써 차에 충하고 연액 3원 이상으로 함.[32]

위의 회칙 중에서 번영회의 성격을 잘 보여주는 부분은 제2조이다. 제2조에는 번영회가 해야 할 사업으로 5가지를 제시한다. ① 도시의 수립과 그 완성, ② 광주 상권의 확장, ③ 교육기관의 완비, ④ 부제(府制)의 실현, ⑤ 사회시설의 정비 등이 그것이다. 일반적으로 지역 번영회들이 해당 지역의 발전을 위해 조직된 것임을 고려하면, 제2조의 내용도 별반 차이가 없다. 하지만 그중, ②항과 ④항은 주목을 요한다. ②항의 "광주 상권의 확장"은 광주번영회 구성원들의 특성과 연관되는 것으로, 이때 구성원들 상당수가 상업을 중심으로 한 경제계 인사들이었다는 맥락에서 이해해야 할 대목이다. ④항의 "부제(府制)의 실현"은 광주가 대도시로서 경쟁력을 가질 수 있는 행정단위가 된다는 것을 의미하는 것으로, 광주는 이후 1931년에 읍으로 승격, 1935년에 광주부로 승격된다. 사실상 이 2개의

32 「광주번영회의 창립총회」, 『매일신보』, 1922. 9. 4.

항은 서로 맞물려 있는 핵심사항으로, 여타의 항목들과 함께 최종적으로 식민도시건설로서 "① 도시의 수립과 그 완성"에 수렴된다고 할 수 있다.

둘째, 창립총회에서 총 53명의 평의원을 선출하는데, 이들은 각 정(町)을 대표하는 인물들로 구성된다. 이는 광주번영회가 "광주시민으로서 조직"한다는 회칙 제1조를 기초로 한 것이었다. 당시 광주면의 정(町)이 24개였음을 고려하면, 각 정에서 2~3명 정도의 대표자들이 추천된 것으로 보인다. 그 명단은 다음과 같다.

- 일본인(44): 戶板常之助·蕨野仲熊·藤卷喜六·下山爲次·福本由之助·坂口喜助·岩瀨靜·角治三郎·田中俊助·近藤徹·宋田德次郎·安藤進·歌藤幾三郎·占野幸市·山本貞一郎·平田正記·濱本角三郎·佐藤秋藏·朝倉重次郎·川原吉秀·松井理三郎·魚谷與藏·宮崎榮喜·岩倉常太郎·坪井盛太·上田範二·千原靜男·原田謙造·大津虎八·山川亮司·鹿野秀三·芦田早渡·竹內直太郎·相馬興作·三田新六·諸山猪藏·福本有雄·中井馬藏·奧野諭太郎·藤本一二郎·宮瀨國太郎·秋場格太郎·管彌三郎·安藤廣次郎
- 한국인(9): 玄俊鎬·金衡玉·李政相·吳憲昌·崔相鎭·朱賀永·張影斗·朴癸一·丁根燮

위의 명단에서 가장 먼저 눈에 띄는 것은 한국인과 일본인의 수적 차이다. 평의원 명단에 들었다는 것은 지역의 '유력자 집단'이라 할 수 있는데, 당시 광주 총인구 중 일본인의 비율이 20%도 되지 않은 상황에서[33] '44:9'

33 1922년 광주의 민족별 인구구성은 한국인 80.9%, 일본인 18.5%, 기타 0.6%였다(광주직할시사편찬위원회, 앞의 책, 265쪽).

라는 차이는, 이 시기에 지역사회가 일본인들에 의해 완전히 장악되고 있었음을 잘 알 수 있는 부분이다. 일본인의 직업별 분포로는 총 34명(자료가 없는 10명 제외) 중, 상업·사업·금융 등 경제계가 27명으로 압도적으로 많고, 그 외에 영농·언론·법조계 등이 7명이다.[34] 이 지점에서 광주번영회의 회칙 중 제2조 ②항(광주 상권의 확장)이 왜 들어와 있는지를 이해할 수 있다.

셋째, 이때 광주번영회장으로 추장격태랑(秋場格太郎)이 선출되었다. 추장격태랑은 본래 광주지방법원 검사 출신으로 1921년에 변호사로 전직했다가 1922년에 광주번영회장에 선출되고, 이듬해인 1923년에 광주면장으로 취임하게 되는 인물이다.[35] 그런데 이 시기는 정확하게 '대광주건설계획'이 한참 주창되던 와중이었다. 이 계획은 몇 년 후인 1925년, 창품익태랑이 광주면장 재직 시에 '시가미화정화 면3대계획'이란 구체적 사업으로 전개된다. 이 사이에 2번째 광주번영회의 탄생과 추장격태랑(광주번영회장, 광주면장)이 서 있는 것이다. 이를 단순하게 시간적 순서로 정리하자면 다음과 같다.

- 1921년 : 창품익태랑(광주군수)와 길촌궤일(광주면장)이 '대광주건설계획' 선언

34 광주번영회 및 정치·경제계 참여구성원 분석에 있어 한국인을 제외한다. 한국인 부분은 제2장에서 상세히 다루기로 한다. 일본인 34명의 직업별 명단은 다음과 같다. 경제계(가등기삼랑·각치삼랑·궁기영희·궐야중웅·근등철·대진호팔·천원길수·산천량사·상마여작·상전범이·송전덕차랑·송정리삼랑·삼전신육·안등광차랑·암뢰정·어곡여장·오야유태랑·원전겸조·점야행시·제산저장·조창중차랑·좌등추장·죽내직태랑·천원정남·평전정기·평정성태·호판상지조), 영농(관미삼랑·등본일이랑·안등진), 언론(녹야수삼), 법조(판구희조·추장격태랑), 기타(산본정일랑:대서업).

35 『조선총독부및소속관서직원록』(1908~1924).

- 1922년 : 광주번영회 창립(회장-추장격태랑)
- 1923~1924년 : 추장격태랑(광주면장)
- 1925년 : 창품익태랑(광주면장)이 '시가미화정화 면3대계획' 수립

이렇게 보면, 왜 광주번영회가 1922년도에 재창립을 시도했는지 대략 짐작할 수 있다. 1911년도의 첫 번째 창립이 한일병합 직후 일본인들에게 맞춘 식민도시를 만들어나가기 위한 첫걸음으로 필요에 의한 관민협조가 이루어진 것처럼, 1922년 창립 또한 지정면 이후 내륙의 행정거점도시로 도약하기 위한 '대광주건설계획'에 의해 같은 이유로 이루어진 것이다. 1911년 직후와 마찬가지로, '면3대계획'이 본격화된 1926년부터 광주에서 대대적인 토목사업이 전개되었음은 물론이다.[36]

이와 유사한 패턴이 광주번영회의 3번째 창립에서도 발견된다. 3번째 창립은 10년이 훌쩍 넘은 1936년 9월에 이루어진다. 그런데 바로 직전 해인 1935년은 광주읍이 광주부(府)로 승격된 해이다. 그동안 광주는 지속적으로 성장하면서 1931년 4월 광주읍으로 승격, 4년 후에 광주부로 승격된다. 행정구역 또한 33개 정(町)에서 41개 정으로 확장되고, 광주의 인구가 52,674명(일본인 8,085명)이 되면서 전국 18부(府) 중, 9위를 차지하게 이른다.[37] 1922년 번영회의 회칙 제2조 ④항이 실제로 실현된 것이다. 그런데 이때 총독부가 광주를 부로 승격시킨 것은 "상공업도시로서의 발전가능성"을 전제한 것이었고, 이에 따라 총독부는 1936년 초 '광주시가

---

36 '면3대계획'은 하수도설치, 하천정비, 시장정비를 내용으로 한 것으로, 대규모 토목개발사업을 필요로 한 것이었다. 현재의 광주도심의 틀은 이때 거의 만들어졌다고 해도 과언이 아니다. 이에 대한 자세한 내용은, 광주직할시사편찬위원회, 앞의 책, 198~199쪽 참조.

37 위의 책, 263~268쪽.

지계획'의 입안에 착수했던 것으로 보인다.[38] 그리고 동 해 9월에 광주번영회의 3번째 창립이 있게 된 것이다.

3번째 창립총회는 1936년 9월 19일에 광주소학교 강당에서 열린다. 이날 총회 개회사는 송전덕차랑이 맡고, 좌장은 번영회 설립준비위원장이었던 곡구융(谷口隆)[39]이 맡았다. 다음 기사는 행사의 풍경을 잘 보여주고 있다.

> 신흥 광주의 발전에 일층 박차를 가하고자 광주부 내 각 공직자 중견 인물 240여 명을 망라하여 대동단결로 명실이 상부한 대광주건설에 매진하려는 광주번영회 발회식은 기보와 같이 19일 오후 2시 30분부터 광주소학교 강당에서 개최하고 송전덕차랑 씨의 개회사를 이어 곡구융 설립준위 위원장으로부터 경과보고가 끝난 후에 좌장으로 곡구융 씨가 추천되어 회칙을 부의하였는데 만장일치로 원안을 가결하고 역원 선거에 입하여 전형위원으로 송전덕차랑, 김신석, 녹야수삼, 산기진평, 조창중차랑 5명을 선정하여 본회의 평의원을 선거한 결과, 다음 제씨가 당선되고 평의원회에서 선거될 회장 기타 역원은 피선된 평의원이 전부 참석하지 아니한 관계상 추후로 선거하자는 의견이 일치되어 연기하고 내빈으로 임석하였던 송본 부윤의 축사와 의미심장한 연술이 있은 후 만세 삼창으로 성황 중에 폐회하였다.
>
> –「신흥부의 건설목표 광주번영회 발회」, 『매일신보』, 1936. 9. 21.

38 이 계획안은 1937년 5월 「전라남도조선시가지계획령 시행세칙」(전라남도령 제5호)을 통해 공포되고, 1939년 1월 광주부회를 거쳐 10월 31일부 총독부고시 제901호로 결정된다(위의 책, 202쪽).

39 곡구융은 법원 서기 출신으로, 평양지방재판소(1910~1911)와 공주지방법원(1912~1913)을 거쳐 광주지방법원(1914~1922)에 장기간 재임하면서 광주와 인연을 맺었다. 1923년 면협의회 회원에 당선된 후 읍회 의원(1931~), 부회 의원(1935~)까지 지낸 인물이다. 그 또한 정계 진출과 더불어 욱주조(旭酒造)주식회사(1934), 광주사매주식회사(1937)를 창립해 회사경영을 병행했다.

광주소학교 강당에서 열린 광주번영회 창립총회(1936. 9. 19.)〈사진출처 : 『매일신보』, 1936. 9. 21.(4면)〉

이 기사 내용에서는 대략 2가지 사안이 읽힌다. 첫째, 참여의 규모와 성격이다. 광주 지역을 좌지우지하는 중견급 공직자 240여 명이 모일 정도로 번영회가 대규모 조직으로 출발했음을 알 수 있다. 이는 뒤에서 확인하겠지만, 평의원 중 상당수가 부회 의원들로 이루어져 있었음을 볼 때, 당시 광주번영회가 단순한 민간조직이 아니라, 공공기관의 성격을 갖고 있음을 의미한다. 번영회의 이런 성격은 총회 내빈으로, 전남지사(松本伊織), 광주지방법원장(吉田平治郞), 광주부윤(衫山茂一)이 참석해 축사와 연설까지 했던 데서 다시 확인된다(「광주번영회, 19일에 창총」, 『매일신보』, 1936. 9. 18.). 이런 상황은 2번째 창립총회에서는 없었던 풍경이다. 둘째, 번영회 창립의 목적이다. 이들이 모인 이유는 '신흥광주의 발전에 박차를 가해, 명실상부한 대광주건설'에 있다. 광주부의 승격과 그에 따른 총독부의 광주시가지계획이 지역사회에서는 1920년대에 초안된 '대광주건설'의 연장선으로 인식하고 있었음을 보여준다. 이때 송전덕차랑이 번영회 회장을 맡게 되고,[40] 총 50명의 평의원회가 꾸려진다. 평의원 명단은 다음과 같다.

- 일본인(31): 宋田德次郎·魚谷與藏·下山爲次·歌藤幾三郎·鹿野秀三·朝倉重次郎·相馬與作·宮崎榮喜·坂口喜助·田中俊助·安藤進·奧野諭太郎·藤本一二郎·青野貞次郎·伊藤正直·山崎陳平·宍倉六二·石井篤三郎·谷川捨次郎·松木節郎·奧村信吉·谷口隆·內山重夫·岩男廣·森安孫六·岩橋朝一·菊池光興·松正鶴松·岡新一·星子末久·,跡部樹治
- 한국인(19): 玄俊鎬·吳憲昌·金信錫·金喜誠·沈德善·金膺模·崔炅植·文鎭庠·金相淳·崔駿基·李采順·崔海泳·池正宣·鄭文謨·崔當植·劉演相·尹燁·金在千·宋和植

평의원 명단을 1922년도와 비교해볼 때, 세 가지 변화를 볼 수 있다. 첫째, 신진세대의 교체가 대폭적으로 이루어졌다는 점이다. 위에서 밑줄로 표시된 것이 1922년의 명단에 없던 이름들인데, 일본인은 18명으로 절반에 해당하고, 한국인은 17명으로 거의 대부분 신진들로 구성되어 있다. 이는 10여 년의 시간이 흐르면서 자연스럽게 나타난 현상으로 볼 수 있다. 둘째, 조선인들의 약진이 두드러지게 나타나고 있다. 1922년에 9명에서, 1936년에는 19명으로 늘어났다. 셋째, 일본인들의 명단에서 1922년도에는 없었던 관료 출신이 4명(오촌신길, 국지광흥, 송정학송, 적부수치)이 들어와 있다는 것이다. 이들은 바로 뒤에서 살피게 될 정치계 인사들이기

40 원래 현준호가 당선되었지만 여러 가지 일에 바쁘다는 이유로 고사하게 되어, 송전덕차랑이 회장직을 맡게 된다(「광주번영회 평의원회」, 『매일신보』, 1936. 9. 27.;「광주번영회장에 송전덕차랑」, 『매일신보』, 1936. 10. 7.)

도 하다. 이 외에 경제계(상업·사업·금융계)가 21명, 법조·언론·기타가 4명이다.[41] 여전히 경제계가 대다수임을 알 수 있다.

한편, 광주번영회의 공적 성격의 강화, 관료 출신들의 진입, 그리고 이런 상황들을 가능케 했던 '대광주건설'이라는 큰 그림의 지속성 등 번영회가 가졌던 힘의 원천은 어디에 있었을까? 이는 1920년대부터 1930년대를 관통하는, 더 나아가 일제 말까지 지역사회 전체에 영향을 미치는 정치계와 광주번영회의 직접적 연관 관계에 있었다고 볼 수 있다. 1920년대 면협시대가 열리면서 지역의 유력 인사들이 정치계로 진입하기 시작하는데, 당연히 이러한 현상은 일제 말까지 지속된다. 정계로 진출한 자들이 유력 집단이라면, 또한 너무도 당연하게 그 집단은 광주번영회의 구성원과 겹칠 수밖에 없다. 이 사실은 1920~1930년대 면협의회·읍회·부회 의원 명단을 통해 확인할 수 있다.[42]

〈표 1〉 광주 지방의회(광주면협의회·읍회·부회) 및 전남도 의원(1920~1935)

구분	연도 (일본인)	광주(면협·읍·부) 회원·의원	전남도 평의원 (광주군 대표)
면협	1920 (7명)	松井理三郎(잡화상)·安藤廣次郎(영농 및 금융투자)·藤本一二郎(영농 및 금융투자)·佐藤秋藏(잡화상)·原田慊造(삼평조 지배인)·歌藤幾三郎(운수업)·坂口喜助(변호사) • 한국인:玄俊鎬·金衡玉·李政相·朱賀永·張影斗	• 1920~:宋田德次郎·金衡玉·崔相鉉

41 경제계(송전덕차랑·어곡여장·가등기삼랑·조창중차랑·상마여작·궁기영희·안등진·오야유태랑·등본일이랑·청야정차랑·이등정직·산기진평·육창육이·곡천사차랑·송목절랑·곡구웅·내산중부·암남광·삼안손육·강신일·성자말구마·석정독삼랑), 언론계(녹아수삼), 법조계(판구희조·암교조일). 1922년 영농분야에 포함됐던 안등진과 등본일이랑은 이 시기가 되면 이미 토지 및 광산투자자로 변모한 때라는 점에서 경제계로 포함했다.

42 여기서는 광주번영회의 3번째 창립과 관련된 1935년 선출 명단까지만 다루는 동시에 구체적 직업을 표기하기로 한다(중복 명단은 1회만 표기함). 참고로 1939년 선출된 광주부회 일본인 의원은 총 16명(송정학송·국지광흥·안등진·암교조일·삼안손육·곡천사차랑·장곡천위량·내산중부·강신일·궁기영희·성자말구마·오야유태랑·암남광·黑田四郎·野上元治·松岡秀典)이다.

<table>
<tr><th>구분</th><th>연도
(일본인)</th><th>광주(면협·읍·부) 회원·의원</th><th>전남도 평의원
(광주군 대표)</th></tr>
<tr><td rowspan="3">면협</td><td>1923
(7명)</td><td>谷口隆(사업)·坪井盛太(토목청부업)·諸山猪藏(잡화상)·松井理三郎·島村民衛(−)·佐藤秋藏·藤本一二郎
• 한국인:金相淳·玄俊鎬·吳憲昌·朴癸一·李起澔</td><td rowspan="5">• 1924～:玄俊鎬·金衡玉·秋場格太郎(→宮協丈八)
• 1927～:玄俊鎬·정수태·尹㷱(일본인 자료없음)
• 1930～:坂口喜助·宋田德次郎·金信錫·朴癸一
• 1933～:宋田德次郎·藤本一二郎·金信錫·池正宣</td></tr>
<tr><td>1926
(8명)</td><td>坂口喜助·大津虎八(양조, 운수업)·佐藤秋藏·藤本一二郎·相馬與作(운수업)·諸山猪藏·松井理三郎·谷口隆
• 한국인:金相淳·玄俊鎬·崔駿基·李起澔·吳憲昌·林鳳周</td></tr>
<tr><td>1929
(7명)</td><td>坂口喜助·牛島熊記(관료)·安藤進(영농·사업)·福本有雅(관료)·藤本一二郎·內山重夫(목재상)·大津虎八
• 한국인:金信錫·沈德善·崔駿基·金相淳·宋和植·吳憲昌·金基浩</td></tr>
<tr><td>읍회</td><td>1931
(9명)</td><td>岩橋朝一(변호사)·相馬與作·岩男廣(자전거상)·藤本一二郎·谷口隆·內山重夫·福本有雅·坂口喜助·安藤進
• 한국인:安定基·崔駿基·金信錫·金相淳</td></tr>
<tr><td>부회</td><td>1935
(18명)</td><td>安藤進·相馬與作·松正鶴松(관료)·谷口隆·內山重夫·田中俊助(−)·岡新一(문구상)·坂口喜助·奧村信吉(관료)·宮崎榮喜(약종상)·跡部樹治(관료)·菊池光興(관료)·藤本一二郎·奧野諭太郎(상업)·岩橋朝一·星子末久馬(상업)·岩男廣·森安孫六(토목업)
• 한국인:崔泳仲·崔當植·尹㷱·鄭文謨·李采順·崔駿基·朴圭海·宋和植·金在千·金相淳·劉演相·池正宣</td></tr>
</table>

위의 명단 중 일본인 총 31명(중복 제외)에서 3명(도촌민위, 복본유아, 우도웅기)만 제외하고 28명이 모두 1922년과 1936년의 광주번영회 평의원 명단에 이름이 올라 있다.[43] 이는 다시 말해, 광주 정치계가 광주번영회라는 큰 지반 위에 위치하고 있었음을 의미한다. 또한 송전덕차랑·안등광차랑·송정리삼랑·상마여작·이등번·원전겸조·등본일이랑·가등기삼랑·판구희조 등 상당수가 초기 일본인회와 광주학교조합, 금융조합, 상공회 등

43 광주군을 대표하는 도평의원 중, 추장격태랑은 광주면장을 지낸 인물로 1924년 도평의원에 임명되는데, 1925년 말에서 1926년 초에 일본으로 귀국한 것으로 보인다. 그를 대신해 송정면의 궁협장팔이 임명된다(「전남도평의원 궁협씨 신임」, 『매일신보』, 1926. 1. 16.). 따라서 여기서 궁협장팔은 제외한다.

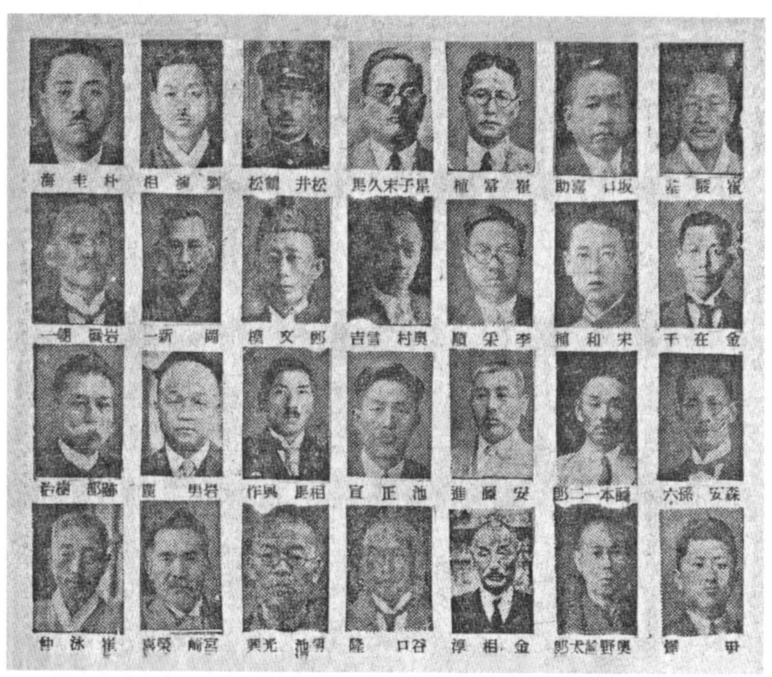

1935년 광주부회 당선자 명단(30명 중 28명)〈사진출처 : 『매일신보』, 1935. 11. 22.(3면)〉

에 관련된 인물들로, 이들이 30~40년 가까이 지역 유력 집단으로 행세하면서 이미 토호세력화 되고 있음을 알 수 있다. 광주번영회의 힘은 바로 여기에서 나온 것이었으며, 여기에 이들의 정치계 진입은 더욱 그 힘을 강화시키는 결정적 동기가 된 것이다. 이런 힘이 있었기에 광주시가계획이 의회가 아닌 번영회에서 먼저 구상되고, 지역사업을 관철시키기 위한 총독부 면담에 번영회장이 늘 동반했으며, 급기야는 계획된 지역철도노선까지 바꿔버리는 일까지 가능했던 것이다.[44] 이렇게 보면, 광주번영회는 사실상 의회의 뒷배경에 자리한 일종의 쉐도우캐비닛(shadow cabinet)이

44 「광주번영회장 진정」, 『매인신보』, 1922. 11. 16. ; 「광주진정원 상경」, 『매일신보』, 1922. 11. 20. ; 「광주번영회의 활동」, 『매일신보』, 1923. 5. 12. ; 「전남 광주에서 철도기성회 조직」, 『매일신보』, 1923. 7. 5. 참조.

었다고 봐도 무방할 것이다.

의원들의 직업별 분포도를 보면, 자료를 확인할 수 없는 2인(도촌민위·전중준조)을 제외한 전체 29명 중 경제계가 20명, 관료 출신 7명, 법조 2명이다. 관료들은 모두 퇴직한 이후 의원선거에 나서지만, 다른 직업군은 모두 현업에 종사하고 있는 상태에서 의원직을 병행했다. 역시 의회에서도 경제계가 70%에 육박한다. 이렇듯 지금까지 살핀 번영회나 의회 조직 모두에서 똑같이 반복되듯이 경제계 인물집단이 대규모로 몰려 있다는 것은 주목할 필요가 있다. 정치계와 경제계의 핵심 구성원들이 서로 겹쳐져 있다는 것은 그만큼 이해관계를 중심으로 한 복잡한 상호커넥션이 작동하고 있었을 것임을 충분히 예견할 수 있기 때문이다.

중역겸임제와 정·재계 네트워크

한일병합을 전후로 광주에 들어온 초기 일본인들은 영농을 기반으로 한 토지매입을 포함해 잡화·포목·어물·미곡·재목·운수·납품·전당포 등에 종사하는 소상공인들이 대부분이었다. 이들은 1910년대 본격적인 식민화와 더불어 축적된 자본을 기반으로 삼아, 지역의 유력 집단으로 성장하면서 1920년대에는 본격적으로 정치계에 진입했다. 그런데 주목해야 할 점은 1930년대 들어 정치 활동과정 중에 중소규모의 회사를 설립하면서 '산업자본가'로서의 면모를 갖춰나간다는 것이다. 더욱 중요한 것은 '중역겸임제'[45]라는, 상호 간에 회사의 중역을 겸임하는 방식을 취하면서 공고한 재·정계 네트워크를 형성하고 있다는 점이다. 다음은 〈표 1〉의 의원명단을 중심으로 대표·이사·감사 등 중역명단에 2건 이상 이름을 올린 주요 회

45 중역겸임제는 중역이라는 개인에 의해 만들어진 인적관계로 회사 간 관계의 일종이다(김경남, 앞의 논문, 260쪽).

사들을 정리한 것이다. 총 22개인데, 주로 1930~1940년대에 집중적으로 민간회사가 설립되고 있음을 볼 수 있다.

〈표 2〉 일제강점기 광주 지역 설립 회사

구분	설립기업(기업형태·설립연도·대표)
1900년대	木浦新報光州日報(株·1907·福田有造), 全南新報社(株·1907·福田有造)
1910년대	光州棉業(株·1918·정통심삼랑 외), 森平組(株·1919·平塚嘉右衛門), 光州酒造(株·1919·松田德次郎)
1920년대	光州無盡(株·1924·原田慊造)
1930년대	福岡縣農事(株·1932·松田德次郎), 旭酒造(株·1934·谷口隆), 光州製氷(株·1936·安藤進), 全南트럭運輸(株·1936·朝倉重次郎), 光州卸賣(株·1937·谷口隆), 常般日産自動車(株·1939·奧野論太郎), 興亞武道具(株·1939·相馬興作)
1940년대	全羅南道工藝品(株·1940·內山重夫/相馬興作), 光州工藝品(株·1941·相馬興作), 키레이製粉工場(合名·1940·加藤幾三郎), 朝鮮食品化學工業(株·1941·相馬與作), 光州金物商事(有限·1941·朝倉重次郎), 全南窯業(株·1941·長迫訓一郎), 光州府貸家組合(1943·相馬與作 외)

※ 출전: 中村資良 編,『朝鮮銀行會社要錄』, 東洋經濟新報社, 1921~1942.

앞의 의원명단에서 자료를 확인할 수 있는 29명 중, 19명이 중역을 겸임하고 있다.[46] 이들의 중역겸임은 마치 쇠사슬처럼 연쇄적으로 걸려 있는 것이 특징이다. 이 방식은 후쿠카쵸(奉加帳) 방식으로서, 일본 자본주의 초기 국민소득이 낮고 저축이 낮은 단계에서 대중 공모가 아니라 개인의 긴밀한 관계를 이용하여 주식회사를 설립하는 방식이다.[47] 일제강점기에 한국 내에서도 이 방식이 전국적으로 적용되었는데, 광주 지역 역시 마

46 여기에 이름을 올리지 않은 의원은 10명으로, 경제계 3명(평정성태·강신일·궁기영희), 관료 출신 6명(추장격태랑·우도웅기·복본유아·오촌신길·적부수치·국지광홍), 법조계 1명(암교조일)이다. 특히 관료 출신들 7명 중, 송정학송[전남요업(주) 이사] 외에 6명이 경제계 네트워크에서 빠져 있다는 것은 지역 산업자본가들과는 일정한 거리를 유지하고 있었다는 것인데, 이는 상당한 고학력을 배경으로 고위직 관료를 지내온 이들의 계급적 특성이 반영된 것일 수도 있다. 이런 현상은 뒤에 거론할 언론인과 법조인에게도 동일하게 나타난다.

47 김경남, 앞의 논문, 261쪽.

찬가지였던 것이다.

예를 들어 상마여작이 1939년 흥아무도구(주)를 설립할 때, 내산중부는 감사로 활동한다. 두 사람은 모두 광주번영회 평의원들이자, 1931~1934년 읍회와 1935~1938년 부회의 의원을 같이했었던 인연이 있다. 그리고 1940년 내산중부가 전남공예품(주)의 사장을 맡고, 1941년에는 상마여작이 사장을 맡는다. 또한 이 시기에 내산중부는 곡구웅이 설립한 광주사매(주)의 이사직과 오야유태랑이 설립한 상반일산자동차(주)의 감사직을 겸하고 있는 상태였다. 이때 곡구웅과는 읍회와 부회 의원직을, 오야유태랑과는 부회 의원을 같이 지낸 인연이 있다. 그리고 곡구웅의 광주사매(주)에는 내산중부 외에도 송전덕차랑[광주주조(주)의 사장, 당시 전남도평의원], 성자말구마(부회 의원)가 이사직을 겸하고 있었다. 이 사례는 극히 일부분으로, 19명의 의원들이 대부분 이런 방식으로 서로를 묶고 있었던 것이 사실이다. 이렇듯 광주 지역에서 중역겸임은 단순히 경제적 네트워크에 그치는 것이 아니라, 동시에 그들이 정치계 인물들이라는 점에서 정치·경제계가 한꺼번에 혼합된 복잡한 양상을 띤다는 것이 특징이다.

그런데 이런 양상은 광주번영회라는 좀더 넓은 범주로 확장할 때 더욱 복잡해진다. 선거에 떨어져 정치 활동이 중단되거나 혹은 애초에 정계 진입을 하지 않은 자일지라도 광주번영회라는 굳건한 지반은 이들이 상호 연계되는데 영향을 끼쳤을 것이기 때문이다. 다음 그림은 광주번영회(의원 포함)로 확장했을 때 주요하게 거론될 수 있는 인물과 회사만 간추린 것으로, 이들이 중역겸임제에 의해 어떻게 정·재계 네트워크를 구축했는지를 보여준다. 직업이 함께 표시된 이름은 정치계에 들어오지 않은 인물들로, 광주번영회 평의원들이다.

〈그림 1〉 일제강점기 광주 지역 기업 기반 정·재계 네트워크

위 그림에서 일본인 정·재계 네트워크의 몇 가지 특성을 읽어낼 수 있다. 먼저 소상공인에서 산업자본가들로 성장한 그룹이 상호 간에 무차별적으로 관계망을 형성하고 있는 데 반해, 3명(녹아수삼·판구희조·원전겸조)은 공공적 성격을 가진 회사들에만 관계한다는 점이다. 녹아수삼은 번영회의 평의원인 동시에 지역사업과 관련된 중요 위원회가 조직될 때마다 이름이 빠지지 않은 인물이지만, 그는 자신이 주간으로 있는 언론사의 이사 외에는 어떤 회사와도 관계하지 않는다. 변호사 출신인 판구희조 또한 언론사와 광주무진(주)의 이사만, 원전겸조는 삼평조(주)의 지배인과 광주무진(주)의 대표만 맡고 있다. 녹아수삼과 판구희조의 경우에는 관료

출신들과 유사한 이유에 의해,[48] 원전겸조는 그가 관리하고 있던 삼평조(주)의 재정 규모가 지역의 다른 사기업들과는 비교할 수 없을 정도로 컸다는 점에서[49] 두 개의 회사를 운영하는 것에 대한 부담에 의해 관계를 제한했을 수 있다. 이렇듯, 특정 직업(관료·언론·법조)과 회사 규모에 의해 관계망이 분리되고 있는 것은 상당히 흥미로운 지점이다.

둘째, 관계망이 4개 이상 걸려 있는 인물명과 회사명을 보면, 당시에 누가 가장 정·재계 네트워크를 잘 활용하고 있는지를 파악할 수 있다. 먼저 인물명의 관계망 수는 중역겸임의 정도를 알 수 있는 것으로, 조창중차랑(7)·어곡여장(6)·각치삼랑(5)·내산중부(5)·송전덕차랑(4)·상마여작(4)의 순이다. 다음으로 회사명의 관계망 수는 기업대표가 회사 운영을 위해 얼마나 많은 사람들을 자신의 관계망 안으로 끌어들이고 있느냐와 관련된 것으로, 광주주조 및 복강현농사(송전덕차랑-8)·광주공예품 및 조선식품화학공업(상마여작-8)·전남공예품(내산중부/상마여작-5)·광주면업(정통심삼랑/어곡여장-5)·광주사매(곡구융-5) 순이다.[50] 인물명과 회사명을 합쳐 보면, 단연 송전덕차랑이 돋보임을 알 수 있다. 그는 당시 광주에서 모든 요직을 두루 거친 자로, 일본인사회의 정신적 지주나 마찬가지였

---

48 각주 46)을 참조할 것.

49 예를 들어, 광주에서 가장 왕성한 사업을 한 송전덕차랑이 설립한 회사 2개[광주주조(주), 복강현농사(주)]를 합친 자본금이 230,000원인 데 반해, 삼평조(주)의 자본금은 1,000,000원이다. 원전겸조가 관리인으로 있던 삼평조는 부동산임대업을 하는 일본 삼평조의 광주지점으로, 광주와 인근 지역(담양, 장성 등)을 중심으로 대규모 토지를 소유하고 있었다. 삼평조에 관해서는 윤희철·윤현석, 「일제강점기 민간에 의한 도시개발:광주 지역 일본인 기업 삼평조와 미국선교사에 의한 개발을 대상으로」(『한국지역개발학회지』 30-3, 2018)를 참조할 것.

50 여기서 광주부대가조합과 광주무진(주)을 제외한다. 광주부대가조합은 조합원이 모두 명기된 것이기 때문이며, 광주무진(주)은 공기업적 성격을 갖기 때문에 지역사회 차원에서 유력 인사들이 중역으로 참여했을 가능성이 높기 때문이다. 그렇지만, 광주부대가조합이 임대주택 투자사업을 위한 조합이라는 점에서 당시 정·재계 인물들이 그들의 욕망을 어디에 두고 있었는지를 잘 보여주고 있다.

다. 이와 같은 관계망을 기반으로, 두 개의 기업운영을 통해 상당한 부를 축적한 자이다. 그 뒤를 어곡여장, 상마여작과 내산중부, 조창중차랑 등이 이어받고 있다.

셋째, 4개 이상의 관계망을 가진 인물들의 한국 내 진입시기가 대부분 한일병합 전후라는 점이다. 정통심삼랑(1905년), 어곡여장(1906년), 송전덕차랑·상마여작(1907년), 내산중부(1909년) 순이다.[51] 각치삼랑과 조창중차랑은 들어온 시기가 명확치 않으나 둘 다 병합 직후에 들어온 것으로 추정된다. 1917년의 『사정』에 각치삼랑은 송전덕차랑의 양조장 지배인을 거쳐 이 당시에는 이미 영농과 토지 투자를 하고 있는 중으로 기록되어 있으며(73쪽), 조창중차랑 또한 상공회 평의원으로 활동하고 있었던 것으로 볼 때(67쪽), 초기 진입그룹에 속한다고 볼 수 있다. 초기에 정착한 일본인들이 후기 진입그룹에 비해 상대적으로 많은 관계망을 갖고 있다는 것은, 그만큼 훨씬 더 많은 자본 축적의 가능성을 확보하고 있다는 것을 의미한다.

이렇듯, 일본인들은 중역겸임제라는 방식을 통해 정·재계 네트워크를 공고히 하는 동시에 의회 의원이라는 직함으로 광주의 도시개발정책에 개입, 자신들의 이익을 챙길 수 있는 방향으로 주도해 나갔던 것이다.

4. 식민구조의 완성

지금까지 일제강점기 광주번영회를 중심으로 지역사회에서 일본인들이 어떻게 토착세력화 되어 갔는지에 대한 과정을 살펴보았다. 이들은 한일병합 이전부터 광주에 유입되어 영농과 소상공인으로 출발, 자본을 축

51 『조선인사흥신록』, 『조선공로자명감』, 『조선총독부시정25주년기념표창자명감』을 참조.

적하기 시작하면서 지역사회의 유력 집단으로 부상한다. 특히 병합 이후 전개된 식민도시건설에 '관민협조'라는 이름으로 앞장서는 과정에서 1920년대부터 시작된 대규모 정치계 진입, 이를 기반으로 1930년대부터는 '산업자본가'로 변신하는 모습을 보여주고 있다. 그리고 이 전체 과정을 주도하는 세력이 광주번영회라는 민간조직이었으며, 또한 그 중심에 영농과 소상공인으로 시작해 산업자본가로 성장한 경제계 인물들이 핵심 그룹으로 서 있었음을 확인할 수 있었다.

광주번영회의 활동은 형식적으로나 명분상으로나 식민도시건설을 위한 '관민협조'로 보였지만, 내용적으로는 병합 이후부터 본격적으로 전개되기 시작한 도시개발사업과 관련된 사실상 '관민결탁'의 과정이었다. 이는 광주번영회의 반복적인 창립과정이 어떤 계기에 의해 이루어지고 있었는가를 보면 잘 알 수 있는 대목이다. 1911년의 창립은 병합 직후 광주 지역을 일본 거류민들의 신체에 맞추기 위한 식민도시건설 착수의 필요(시구개정·공원설치·도로개통), 1922년은 지정면 이후 '대광주건설계획'의 실현, 1936년은 광주부의 승격(1935년)에 따라 수행해야 할 '상공업도시로의 도약'이라는 동기가 각각 걸려 있었다. 물론 이 모든 계기는 대규모 토목개발사업이 동반된 것이었다. 특히 이 과정에서 번영회 경제계 인물들의 대대적인 정치계 진입은 지역의 도시개발정책에 적극 개입하는 계기가 되고, 이들이 1930년대 산업자본가로 성장하는 데 결정적으로 영향을 미쳤던 것으로 보인다. 당시 일본인 거류지들을 중심으로 한 도시개발은 그들의 토지자산 가치를 크게 상승시키는 동력이 되었을 것이기 때문이다.[52] 더불어 이들이 1930~1940년대에 집중적으로 설립한 회사들은 광

52 당시 광주에서 가장 많은 토지를 소유하고 있던 삼평조(주)가 대표적인 사례인데, 이들이 초기에 매입했던 토지는 이후 광주의 공공기관들이 대대적으로 들어서게 되는 광주 중심 시가지로 개발된다. 이에 대해서는 윤희철·윤현석, 앞의 논문, 142~146쪽 참조할 것.

주번영회 구성원들 중심의 배타적 '중역겸임제'라는 방식을 도입, 공고한 정·재계 네트워크를 구축함으로써 자본 축적이 더욱 빨라졌을 것임은 충분히 예측할 수 있다.

이 같은 과정을 볼 때, 광주번영회는 단순한 민간조직이 아닌, 총독부의 식민도시건설정책을 지역사회에 실현시키는 '총독정치의 매개집단'이자, '풀뿌리 침략'의 전초기지나 다름없었음을 알 수 있다. 그들은 국가권력 및 관의 적극적 지원 위에 광주의 정치, 경제계를 장악하면서 토호세력화를 통해 지역사회 밑바닥까지 식민구조를 완성시키는 데 일조했던 것이다.

마지막으로, 이 장에서는 지면의 한계 때문에 광주번영회와 정치계에 이름을 올리고 있는 한국인들은 다루지 못했다. 현준호, 김형옥, 김신석 등 여러 한국인들의 이름이 반복적으로 나타나고 있는 것이나, 일본인들이 설립한 회사의 중역명단에 이들 또한 포함되어 있는 것을 보면, 이들 중 상당수는 일본인들과 강력한 연계를 갖고 있었던 것을 알 수 있다. 물론 이들은 사안에 따라 한국인으로서 때론 저항하면서 때론 결탁하면서 다양한 모습을 보여주고 있다. 따라서 한국인 부분은 일본인과는 달리 상당히 중층적 접근을 필요로 하는 것으로 이는 다음 장에서 자세히 다루기로 한다.

참고문헌

1. 자료

문서자료: 『광주지방사정』(북촌우일랑, 1917), 『경성시민명감』(조선중앙경제회 편), 『조선인사흥신록』(조선신문사 편), 『조선은행회사요록』(동아경제시보사), 『조선총독부 관보』, 『조선총독부및소속관서직원록』, 『조선공로자명감』, 『조선총독부시정25주년기념표창자명감』

신문자료: 『동아일보』, 『매일신보』, 『목포신보』, 『황성신문』

2. 단행본 및 논문

광주직할시사편찬위원회, 『광주시사』(제2권), 1993.

김경남, 「일제강점 초기 자본가 중역겸임제에 의한 정치·사회적 네트워크의 형성」, 『한일관계사연구』 48, 2014.

박철규, 「부산지역 일본인 사회단체의 조직과 활동-1910년대를 중심으로」, 『역사와경계』 56, 2005.

방광석, 「한국병합 전후 서울의 '재한일본인' 사회와 식민권력」, 『역사와담론』 56, 2010.

산본정방(山本淨邦), 「대한제국기 광주에 있어서의 오쿠무라(奧村) 남매 진종포교·실업학교 설립을 둘러싸고」, 『민족문화연구』57, 2012.

오미일, 「식민지 조선의 일본인 사회와 지역 단체-원산지역을 중심으로」, 『역사문제연구』 34, 2015.

윤현석, 「식민지 조선의 지방단체 광주(光州)에 관한 연구」, 전남대 박사논문, 2015.

윤희철·윤현석, 「일제강점기 민간에 의한 도시개발:광주 지역 일본인 기업 삼평조와 미국선교사에 의한 개발을 대상으로」, 『한국지역개발학회지』 30-

3, 2018.

이규수, 「재조일본인의 추이와 존재형태-수량적 검토를 중심으로」, 『역사교육』 125, 2013.

이동훈, 「'한국병합' 전후 재조일본인 교육 사업의 전개-거류민 단체에서 학교조합으로-」, 『한림일본학』 32, 2018.

조미은, 「일제강점기 재조선 일본인 학교와 학교조합 연구」, 성균관대 박사논문, 2010.

지수걸, 『한국의 근대화 공주사람들(한말일제시기 공주의 근대도시발달사)』, 공주문화원, 1999.

천지명, 「재한일본인 거류민단(1906~1914) 연구」, 숙명여대 박사논문, 2013.

한지헌, 「1906~1910 통감주 이사청 연구」, 숙명여대 박사논문, 2016.

- 광주번영회 회원들을 중심으로 기록했으나, 그 외에 논문에서 다루어진 주요 인물들을 추가하여 정리하였다.
- 연도를 특정할 수 있는 것은 해당 연도를 밝혔으며, 그 특정 연도는 임기의 첫해를 기준으로 하였다. 그 외는 연대를 기준으로 표기했다(예:1910년대, 1920년대 등).
- 출생연도 및 출신지를 알 수 없는 경우에는 별도로 표기하지 않았다.
- 참고도서 : 『경성시민명감』, 『광주지방사정』, 『대한제국 직원록』, 『사업과 향인』(제1집), 『재조선 내지인 신사명감』, 『조선공로자명감』, 『조선과 삼주인』, 『조선은행회사조합요록』, 『조선인사흥신록』, 『조선총독부 관보』, 『조선총독부 및 소속관서 직원록』.

가등기삼랑(加藤幾三郞)

광주에서 중야차랑길(中野次郎吉)과 함께 마차를 들여와 운수업에 뛰어든 뒤, 1913년에 화원정 36번지(현재 충장로 4가)에 가토(加藤)자동차부를 설치하고 자동차 2대로 광주-목포 간 및 광주-송정리 간 운수 영업을 시작하였음. 광주-송정리 간 운행은 호남철도 송정리역 기차 발차시간에 맞춰 매일 4회 왕복 운행했으며, 승객은 항상 만원일 정도로 성황을 이룸. 운수업 외에도 1930년대 장유업(醬油業), 1940년에 관류(款類) 제분 판매를 목적으로 하는 키레이製粉工場(合名)을 설립. 광주상공회 평의원(1910년대), 광주번영회 평의원(1922, 1936), 광주면협의회 회원(1920), 광주소매상조합장(1934), 광주상공회의소 평의원(1937, 1940), 국민정신총동원 광주부연맹 이사(1938)를 지냄.

각치삼랑(角治三郞)

후쿠오카(福岡県) 출신. 재향군인으로 상당한 자본을 가지고 광주에 들어와 송전덕차랑의 소유인 마츠다(松田)양조장에서 지배인을 하다가 사임한 뒤, 소작제 영농 전답에 투자를 시작해 1910년대 중후반에 50여 정보에 달하는 대지주가 됨. 1930년대에는 비료상을 겸업하기도 함. ㈜광주면업 감사(1921), 광주번영회 평의원(1922),

㈜광주주조 감사(1927~1939) 및 이사(1942), ㈜복강현농사 감사(1933~1939) 및 이사(1942), 광주상공회의소 상무의원(1937) 및 평의원(1940), ㈜광주제빙 감사(1939~1942), ㈜조선식품화학공업 이사(1942), ㈜흥아무도구 이사(1942), ㈜불이주조 이사(1942)를 지냄.

강신일(岡新一)

남문통(옛 전남도청 뒤편)에서 문구상을 했으며, 광주부회 의원(1935, 1939), 광주번영회 평의원(1936), 광주상공회의소 상무의원(1937), 국민정신총동원 광주부연맹 이사(1938)를 지냄.

관미삼랑(管彌三郞)

효고(兵庫県) 출신. 1900년대 후반에 광주에 들어와 전답 24정보의 스가(管)농장을 운영함. 자작 및 소작을 병행하였으며, 특히 직영인 과수원은 광주와 각지의 수용을 충족시킬 만큼 대규모였던 것으로 보임. 1900~1910년대 광주 지역사회의 유력자였으며, 일본인회 평의원(1900년대), 광주학교조합 1기 평의원(1911), 광주번영회 평의원(1922)을 지냄.

곡구융(谷口隆)

법원 행정관료 출신으로, 평양지방재판소 서기(1910~1911), 공주지방법원 서기(1912~1913), 광주지방법원 서기(1914~1922)를 거쳐 퇴직함. 광주면협의회 회원(1923, 1926), 광주읍회 의원(1931), 광주부회 의원(1935), 광주번영회 평의원(1936)을 지냄. ㈜욱주조(1934) 및 ㈜광주어매(1937)를 설립하여 경영함.

곡천사차랑(谷川捨次郞)

미곡상 및 장유업자로, 광주번영회 평의원(1936), 광주상공회의소 평의원(1937),

광주부회 의원(1939), ㈜전라남도공예품 감사(1942), ㈜조선식품화학공업 이사(1942), ㈜광주공예품 감사(1942)를 지냄.

국지광흥(菊池光興)

1880년 출생. 후쿠오카(福岡県) 출신. 1911년에 전라남도 행정관료로 한국생활을 시작해 1928년에 퇴직함. 광주학교조합 평의원(1930), 광주부회 의원(1935, 1939), 광주번영회 평의원(1936)을 지냄.

궁기영희(宮崎榮喜)

1910년대부터 북문통(현 충장파출소 일대)에서 약종(藥種) 상점을 시작함. 광주번영회 평의원(1922, 1936), 광주면 정총대(町總代, 1926), 광주부회 의원(1935, 1939), 광주상공회의소 상무의원(1937) 및 평의원(1940)을 지냄.

길촌궤일(吉村軌一)

야마구치(山口県) 출신. 1900년대 중후반에 광주에 들어와 수기옥정(현 삼성동)에 잡화상점을 시작했으며, 광주 지역사회의 유력자로 활동함. 광주일본인회 2대 회장(1900년대), 광주학교조합 1기 평의원 및 3대 조합장(1910년대), 광주면 상담역(1917), 광주면 3대 면장(1919~1921)을 지냄.

내산중부(內山重夫)

1891년 출생. 가고시마(鹿兒島縣) 출신. 1909년에 한국으로 건너와 ㈜대인상사에 입사, 여러 지역의 지점을 옮겨다니다가 1921년 원산지점장으로 승진해 활동함. 1925년 퇴사 후 1926년부터 광주에 들어와 목재상을 주 사업으로 하여 일반 건축재료를 판매하는 점포를 열었음. 광주 삼주인회(三州人會)를 창립해 1933년 경이면 회원이 백여 명에 달할 정도로 세를 불리게 되며 삼주인회 회장을 맡음. 광주면협의회 회원(1929), 광주읍회 의원(1931), 광주부회 의원(1935, 1939), 광주번영회 평의원(1936), 광주상공회의소 평의원(1937), 광주배영(排英)동지회 부회장(1939), ㈜광주어매 이사(1939~1942), ㈜전라남도공예품 사장(1940), ㈜상반일산자동차 감사(1942), ㈜흥아무도구 감사(1942), ㈜호남방직 이사(1942)를 지냄.

녹야수삼(鹿野秀三)

도쿄(東京市) 출신. 1907년 〈부산일보〉 기자로 시작해, 〈광주신보〉(1909), 〈목포신보〉(1911)를 거쳐 1919년에 광주일보사에 입사해 주필 및 주간(1933)이 됨. 1935년에 "언론과 문장으로 일본제국의 국책을 중외에 알려서 조선통치에 기여"했다는 명목으로 조선총독부시정25주년기념표창을 받음. 광주상공회 평의원 및 명예서기(1910년대), 광주번영회 평의원(1922, 1936), 광주배영(排英)동지회 부회장(1939), 국민정신총동원 광주부연맹 이사(1938)를 지냄.

등본일이랑(藤本一二郎)

1881년 출생. 후쿠오카(福岡縣) 출신. 1914년에 광주에 들어와 영농에 투자, 1930년대에 대지주 반열에 오름. 광주면협의회 회원(1920, 1923, 1926, 1929), ㈜광주주조 감사(1921~1925) 및 이사(1927~1937), 광주번영회 평의원(1922, 1936), 광주면 정총대(町總代, 1926), 광주읍회 의원(1931), 전라남도 의원(1933, 1937), ㈜복강현농사 이사(1933~1937), 광주부회 의원(1935), 전남도농회 특별의원(1938)을 지냄.

대진호팔(大津虎八)

1876년 출생. 오이타(大分県) 출신. 1909년 영산포에서 마차를 선편으로 광주에 운반해 들어와 객마차 수송을 시작으로 운수업에 뛰어들었음. 1913년 호남철도가 지나는 송정리역이 건설된 후 광주-송정리 간 운행에 가등기삼랑과 승객 수송이 치열

해지자 광주경찰서장 및 지역 유지들의 조정으로 1914년에 두 회사가 광·송 간 마차조합을 조직해 화원정(현 충장로 4가)에 사무실을 설치하고 합동영업을 하게 됨. 이외에도 대진호팔은 1909년부터 본정 1정목(현 충장로 1가)에서 오오츠(大津)주조장을 운영함. 광주번영회 평의원(1922), 광주면 구장(1926), 광주면협의회 회원(1926, 1929), 광주금융조합 평의원(1929, 1931)을 지냄.

복본유아(福本有雅)

전라남도 서기(1911~1912), 광양군 서기(1914~1918), 곡성군 서기(1919~1920), 광주면장(1921~1923), 광주번영회 평의원(1922), 광주면협의회 회원(1929), 광주읍회 의원(1931)을 지냄.

산기진평(山崎陳平)

1884년 출생. 미야기(宮城縣) 출신. 1908년 한국 탁지부 재정 고문이었던 목하전종태랑(目賀田種太郎)의 지휘하에 한국으로 건너와 북선(北鮮)금융조합을 설립해 이사가 됨. 1913년 광주농공은행에 입사해 제주도(1915) 및 벌교(1917) 지점장을 거침. 1918년에 광주농공은행이 식산은행으로 합류되면서 다시 식산은행 벌교지점장이 됨. 이후 정읍지점장(1922), 수원지점장(1929), 해주지점장(1931), 광주지점장(1934)으로 근무하다 퇴직함. 광주번영회 평의원(1936), ㈜조양광업 상무이사(1938)를 지냄.

산본정일랑(山本貞一郎)

1879년 출생. 오카야마(岡山県) 출신. 대서업(代書業)자로, 광주번영회 평의원(1922), 광주면 정총대(町總代, 1926), 전남사법대서인회 회장(1927), 광주신사 총대(1930년대)를 지냄.

산천량사(山川亮司)

1910년대 본정(현 충장로 1가)에 잡화상점을 열었으며, 1932년에 동일한 종목의 산천본점 합자회사를 설립함. 광주상공회 평의원(1910년대), 광주번영회 평의원(1922), ㈜광주무진 이사(1924~1937), 광주면 정총대(町總代, 1926)를 지냄.

삼안손육(森安孫六)

1920년대부터 광주에서 토목청부업을 시작해, 광주면사무소 신축(1925)을 비롯한 다수의 개발사업에 참여함. 1933년 관공서와의 담합이 발각되어 형사고발되었으며 이때 집행유예 선고를 받음. 1937년에 전라남도 도의원 선거에서 송정학송(松井鶴松)의 운동원으로 활동하다 선거법 위반으로 벌금형(20원)을 받음. (합자)관본직포공장 이사(1931~1939), 광주부회 의원(1935, 1939), 광주번영회 평의원(1936), ㈜조선식품화학공장 이사(1941), ㈜광주어매 감사(1942)를 지냄.

삼전신육(三田新六)

1908년 서문통(현 황금동)에 미다(三田)과자점으로 시작해, 이후 삼전송광당제과공장으로 확장함. 광주면 구장(1917, 1926) 및 정총대(町總代, 1926), 광주번영회 평의원(1922)을 지냄.

삽곡태길(澁谷太吉)

1873년 출생. 야마구치(山口県) 출신. 동경제국대 법대 졸업(1903). 1906년 광주농공은행에 입사해 지배인이 됨. 이때 광주에 거주하면서 광주일본인회 1대 회장(1907)을 맡게 됨. 1908년에 해주농공은행 지배인, 한호농공은행 부지배인, 한호농공은행 대전지점 지배인 및 지점장(1914), 조선식산은행 대전지점장을 거쳐 1918년에 광주지점장으로 오게 됨. 이후 본점에 계산과장으로 복귀함.

상마여작(相馬與作)

1883년 출생. 아키타(秋田縣) 출신. 1905년 함관(函館)중학 졸업. 1907년 한국으로 건너와 ㈜조선면화에 입사, 1912년 광주출장소장으로 승진함. 1919년 승합자동차업을 개시하여 광주, 목포, 장성 등으로 택시 노선을 확장해나가면서 '자동차 왕'을 자임할 만큼 성공을 거둠.

광주학교조합 평의원(1917), 광주면 구장(1917), 광주번영회 평의원(1922, 1936), 광주면 정총대(町總代, 1926), 제국재향군인회 광주남분회장, 광주면협의회 회원(1926), 광주금융조합 평의원(1929), 광주상공회 평의원(1930), 광주읍회 의원(1931), 광주부회 의원(1935), 광주상공회의소 회장(1937), 광주배영(排英)동지회 회장(1939)을 지냄. 이후 ㈜흥아무도구(1939), ㈜조선식품화학공업(1941), ㈜광주공예품(1941), 광주부대가(貸家)조합(1943) 등 회사를 설립하여 경영함.

상전범이(上田範二)

땔감 납품업자로 1910년대에 북문통(현 충장파출소 일대)에 상점이 있었으며, 광주번영회 평의원(1922), 광주면 정총대(町總代, 1926)를 지냄.

상천보삼(相川保三)

1875년 출생. 야마나시(山梨縣) 출신. 1908년 목포로 들어와 목포신보사에 입사하여 〈목포신보〉 주필이 됨. 1911년 목포신보사를 사직한 후, 1912년 편강의(片岡議)에게 〈광주신보〉를 인수받아 〈광주일보〉로 개칭해 사장을 지냄.

성자말구마(星子末久馬)

광주부회 의원(1935, 1939), 광주번영회 평의원(1936), 1936년 본정 1정목(현 충장로 1가) 총대 촉탁을 지냄. 1937년에 전라남도 도의원 선거에서 송정학송의 운동원으로 활동하다 삼안손육(森安孫六)과 함께 선거법 위반으로 벌금형(20원)을 받음.

이후 ㈜광주어매 이사(1942)를 지냈으며, 광주부대가(貸家)조합(1943)을 설립하여 경영함.

송목절랑(松木節郞)

1988년 출생. 도쿄(東京市) 출신. 1912년 동양협회(東洋協會)전문학교 경성분교 입학을 위해 한국에 들어와 졸업 후, 충남공주금융조합, 양덕금융조합, 충남금융조합(1924), 경기도금융조합(1927), 평북금융조합(1930) 이사를 지냄. 1933년 8월 조선금융조합연합회가 설립되면서 연합회 이사를 지낸 후, 평북 지부장을 거쳐 1936년에 전남금융조합 지부장으로 전임해 옴. 이때 광주번영회 평의원(1936)을 지냄. 이후 경성으로 돌아가 1939년 조선금융조합 이사를 지냄.

송전덕차랑(松田德次郞)

1866년 출생. 후쿠오카(福岡県) 출신. 1907년에 광주에 들어와 화원정(현 충장로4가)에 광주 최초의 주조장인 마츠다(松田)주조장을 열고 양조업을 개시함. 1919년에 대진호팔(大津虎八)이 운영하던 오오츠(大津)주조장을 합병하여 광주 최대의 주조장인 ㈜광주주조를 설립함. 이곳에서 출시된 '국일광(菊日光)'은 전국적 판로를 가질 만큼 유명세를 떨치기도 함. ㈜광주주조는 각종 주류 제조 및 가공원료 부산물 판매 외에도 자동차 및 부속품 판매, 수리까지 겸했던, 자본금 20만 엔의 대규모 회사였음. 1932년에는 영농자금 대부업을 목적으로 한 ㈜복강현농사를 설립하여 경영함. 한일병합 이전부터 일제강점기에 이르기까지 광주 지역 일본인들의 정신적 지주로 평가받았으며, 정·재계 모든 요직을 두루 거친 인물임. 일본인회 5대 회장(1900년대), 광주번영회 1대·3대 회장(1910년대), 광주학교조합 1기 평의원 및 5대 조합장(1910년대), 광주상공회 특별회원(1910년대), 광주위생조합 조합장(1914), 전라남도지방토지조사위원회 임시위원(1914~1917), ㈜광주전등 전무 취체역(1917), 광주소방조합 조합장(1917), 광주면장(1917), 전남도의회 평의원

(1920, 1930, 1933, 1937), ㈜광주면업 감사(1921), 광주번영회 평의원(1922) 및 회장(1936), ㈜대흥전기 이사(1923~1935), 광주금융조합 감사(1929, 1931), ㈜순천전기 감사(1933~1935), ㈜광주어매 이사(1939) 등을 지냄. 조선총독으로부터 표창장 및 회중시계를 받았으며, 관리자선장축하회에서 금병풍 한 쌍을 받음.

송정리삼랑(松井理三郞)

1910년대 북문통(현 충장로 4가)에 잡화상점을 열었으며, 광주상공회 평의원(1910년대), 광주학교조합 평의원(1917), 광주면협의회 회원(1920, 1923, 1926), 광주번영회 평의원(1922), ㈜광주무진 감사(1925~1929), 광주금융조합 평의원(1929), ㈜전남신탁 감사(1929~1931), ㈜한선연초원매팔 이사(1929~1931), ㈜목포신보 광주일보 감사(1939), ㈜전남신보사 감사(1941) 등을 지냄.

송정학송(松井鶴松)

1920년 목포경찰서 '경부 보(警部 補)'부터 시작해, 광양경찰서(1921), 곡성경찰서(1922~1923), 나주경찰서(1924), 담양경찰서(1925~1926), 강진경찰서(1927~1928), 화순경찰서(1929) 경부를 거쳐 퇴직함. 광주부회 의원(1935, 1939), 광주번영회 평의원(1936), 전남도회 의원(1937), ㈜전남요업 이사(1942)를 지냄. 1937년 광주부 대표로 전남도회 의원에 출마할 당시 선거법 위반으로 기소되지만, 그는 무죄로 석방되고 운동원이었던 삼안손육과 성자말구마는 벌금형(20원)을 판결받음.

안등광차랑(安藤廣次郞)

기후(岐阜県) 출신. 영농업자로, 광주학교조합 평의원(1917), 광주면협의회 회원(1920), 광주번영회 평의원(1922), 광주면 정총대(町總代, 1926), ㈜광주주조 이사(1931)를 지냄.

안등진(安藤進)

1892년 출생. 아이치(愛知県) 출신. 광주번영회 평의원(1922, 1936). 광주면협의회원(1929), 광주읍회 의원(1931), 광주부회(1935, 1939), 명치정 1정목 총대(1936)를 지냈으며, ㈜광주제빙(1936)을 설립하여 경영함.

암교조일(岩橋朝一)

군산경찰서(1911), 임실경찰서(1912), 군산경찰서(1913~1914), 경북 성주경찰서(1915~1915), 제주경찰서(1917~1918), 전남 영광경찰서(1919~1921), 전남도 보안과장(1922), 광주경찰서 경부(1923~1924)를 지냄. 1924년에 변호사에 합격. 변호사를 하면서 광산업에도 참여한 것으로 보임. 광주읍회 의원(1931), 광주부회 의원(1935, 1939), 광주번영회 평의원(1936), 국민정신총동원 광주부연맹 이사(1938), 전남도회 의원(1941) 등을 지냄.

암남광(岩男廣)

1889년 출생. 오이타(大分縣) 출신. 1902년 한국에 건너온 뒤, 1912년 광주에 들어와 잡화상을 개업해 장사를 하다가 1916년에 자전거 소매상으로 전업해 도량형 수리까지 겸업했음. 광주상공회 평의원(1930), 광주읍회 의원(1931), 광주부회 의원(1935, 1939), 광주번영회 평의원(1936), 국민정신총동원 광주부연맹 이사(1938), 광주상공회의소 평의원(1940) 등을 지냄.

어곡여장(魚谷與藏)

1906년 광주에 들어와 북문통(현 충장로 4가)에 시오야(鹽屋)라는 잡화상점을 개업함. 광주상공회 2대 부회장(회장 유고로 회장 역할, 1910년대), 광주면 상담역(1917), ㈜광주면업 이사(1921), 광주금융조합 조합장(1919~1933), 광주번영회 평의원(1922, 1936), ㈜광주무진 이사(1925~1939), 광주상공회의소 회장(1935,

1937), ㈜전남도시제사 이사(1935~1942), ㈜광주제빙 이사(1939~1942), ㈜광주어매 감사(1939) 및 이사(1942), ㈜광주공예품 이사(1942) 등을 지냄.

오야유태랑(奧野諭太郎)

1883년 출생. 아이치(愛知県) 출신. 러일전쟁에 참여해 금치훈장(무공훈장)을 받은 군인으로, 광주번영회 평의원(1922, 1936), 광주부회 의원(1935, 1939)을 지냄. 당시 일간지에 "백만장자"로 소개될 만큼 부를 축적했으며, ㈜상반일산자동차(1939) 및 광주부대가(貸家)조합(1943)을 설립하여 경영함.

오촌신길(奧村信吉)

행정관료 출신으로, 함경북도 서기(1911~1916)부터 시작해 조선총독부 함경북도 토지조사위원회 서기(1917~1918), 함경북도 서기(1918~1920), 함북 속(1921~1923), 함북 성진군수(1924~1927), 함북 회령군수(1928~1929), 전남 광주면장(1930), 광주읍장(1931~1935), 광주번영회 평의원(1936), 광주부회 의원(1935)을 지냄.

우도웅기(牛島熊記)

1876년 출생. 구마모토(熊本縣) 출신. 구마모토(熊本), 동경, 하코다테(函館), 삿포로(札幌), 고베(神戶) 등에서 세무감독국 관리를 역임하고 오카야마전매국(岡山專賣局) 창설사무를 담당함. 1907년 한국에 건너와 탁지부 전주재무감독국 영암재무서 주사(1908), 영암군 군서기(1910~1911), 전남도 서기(1912), 강진군 서기(1913~1914), 나주군 서기(1915~1916), 전남 광주군 서기(1917), 무안군 서기(1919), 목포부 서기(1920), 광주군수(1925~1927)를 지냄. 1928년에 퇴직 후, 광주면협의회 회원(1929)에 당선됨. 면협 임기를 마친 후, 다시 경남 김해읍장(1933~1935), 창원읍장(1936~1941)을 지냄.

원전겸조(原田慊造)

일본에서 대규모 부동산 임대업을 하는 ㈜삼평조(森平組)의 광주지점 지배인으로, 원전겸조는 회사 소유의 광주 및 인근 지역(담양, 장성 등)의 대규모 토지를 관리함. ㈜삼평조는 한일병합을 전후로 토지를 매수하기 시작해 1919년에 주식회사로 등기 완료를 하는데, 원전겸조는 이때부터 광주지점 지배인을 맡음. 이외 광주학교조합 평의원(1917), 광주면협의회 회원(1920), 광주번영회 평의원(1922), ㈜광주무진 사장(1924~1933), 광주금융조합 감사(1929) 및 평의원(1931)을 지냄.

적부수치(跡部樹治)

법조 관료 출신으로, 1908년 법부(法部) 대구공소원 서기로 시작하여, 부산지방재판소 마산구 재판소 서기(1910~1911), 대구지방법원 서기(1912~1919), 광주지방법원 서기(1920~1923)를 지내고 퇴직함. 이후 광주부회 의원(1935), 광주번영회 평의원(1936)을 지냄.

전전정태(前田定泰)

후쿠오카(福岡縣) 출신. 한일병합 이전에 광주에 들어와 광산업을 시작한 것으로 보이며, 이후 광주 지역사회의 유력자로 부상함. 광주일본인회 평의원(1900년대), 광주면 구장(1917, 1926) 및 ㈜광주면업 이사(1921), 정총대(町總代, 1926)를 지냄.

전중준조(田中俊助)

1910년대에 동문통(현 금남로)에서 다다미를 판매하는 다나까(田中) 돗자리점을 운영. 광주번영회 평의원(1922, 1936), 광주면 정총대(町總代, 1926), 광주군 임야조사위원(1928), 광주부회 의원(1935)을 지냄.

점야행시(占野幸市)

1909년 북문통(현 충장로 4가)에서 시메노(占野)주조장을 열어 영업을 시작해 1919년 송전덕차랑이 운영하는 마츠다(松田德次郎)주조장에 합병됨. 한일병합 직후 광주 지역의 지주 총대로 뽑힐 만큼 대지주 반열에 오름. 일본인회 평의원(1900년대), 광주학교조합 평의원(1911, 1917), 광주상공회 2대 회장(1910년대), ㈜광주주조 이사(1921~1927), 광주번영회 평의원(1922)을 지냄.

정통심삼랑(井筒甚三郎)

교토(京都) 출신. 1905년 광주에 들어와 조선인을 상대로 한 잡화상을 열었으며, 이 상점은 광주에서 일본인이 처음으로 장사를 시작한 것으로 알려져 있음. 한일병합 직후 전국적으로 토지조사가 시행될 때, 광주 지역 지주 총대로 뽑힐 만큼 대지주 반열에 오름. 이후 광산업에도 손을 대어, 1917년 무렵에는 소작제인 답과 전 및 가옥, 토지, 광산 등에 투자한 자본이 5만 원 이상이 될 정도로 상당한 규모의 부를 축적함. 이 과정을 통해 광주 지역사회의 유력자로 부상하면서 광주일본인회 평의원(1900년대), 광주학교조합 1기 평의원(1911), ㈜광주주조 이사(1919~1925) 등을 지냈으며, 1927년 경에 일본으로 돌아간 것으로 보임. 1915년 총독부 목배(木杯)를 하사받음.

제산저장(諸山猪藏)

1910년대에 광주 서문밖(현 불로동)에서 잡화상을 운영하였으며, 광주번영회 평의원(1922), 광주면협의회 회원(1923, 1926), 광주면 정총대(町總代, 1926)를 지냄. 1928년에 수산, 농업물 기타 일용품 등을 판매하는 (합자)광주어채를 설립해 해방 이전까지 운영함.

조창중차랑(朝倉重次郎)

1876년 출생. 야마구치(山口縣) 출신. 1910년대에 북문통(현 충장로 4가)에서 철물 잡화상점을 운영함. 광주상공회 평의원(1910년대), 광주번영회 평의원(1922, 1936), ㈜광주무진 이사(1925~1934) 및 사장(1935~1939), 광주면 정총대(町總代, 1926), 광주금융조합 평의원(1929, 1931), ㈜전남트럭운수 상무이사(1937~1939), ㈜광주제빙 이사(1939~1942), ㈜광주공예품 이사(1941), ㈜조선식품화학공장 이사(1941)를 지냄. 1941년 (유한)광주금물상사 설립 및 1943년 광주부대가(貸家)를 설립하여 경영함.

좌구간시삼랑(佐久間時三郎)

1905년에 광주에 들어와 농사를 시작했으며, 한일병합 즈음에 광주 지역 지주 총대가 될 정도로 대지주 반열에 오름. 1910년대에 ㈜삼평조에 상당 부분의 토지를 매각하고 과수원인 사쿠마(佐久間)농장을 운영했는데, 이때에도 소작 대부 및 시중에 소유 가옥이나 토지가 많았으며 광산업에도 투자하고 있었음. 일본인회 3대 회장(1900년대), 광주번영회 2대 회장(1910년대), 광주학교조합 평의원 및 4대 조합장(1910년대)을 지냄. 1915년에 총독부 목배(木杯)를 하사받음.

좌등추장(佐藤秋藏)

광주면협의회 회원(1920, 1923, 1926), 광주번영회 평의원(1922), ㈜광주무진 이사(1924~1927)를 지냄.

죽내직태랑(竹內直太郎)

토목 청부업자로 광주번영회 평의원(1922), 광주면 정총대(町總代, 1926)를 지냄. 1929년에 사업을 확장해 (합자)죽내조(竹內組)를 설립, 경영함.

판구희조(坂口喜助)

1981년 출생. 나가사키(長崎縣) 출신. 1910년 동경제국대학 법과를 졸업한 뒤, 1911년 한국에 들어와 광주지방법원 서기(1911~1912), 함흥지방법원 판사(1913~1914), 공주지방법원 판사(1915~1917), 광주지방법원(1918~1919) 판사를 지냄. 1919년 퇴임 직후 광주지방법원 소속 변호사가 됨. 광주면협의회 회원(1920, 1926, 1929), 광주번영회 평의원(1922, 1936), ㈜광주무진 감사(1925~1939), 전남도평 의원(1930), 광주읍회 의원(1931), ㈜목포신보·광주일보 이사(1931~1939), 광주부회 의원(1935), 광주보호관찰심사회 위원(1937~1939), 국민정신총동원 광주부연맹 이사장(1938), ㈜전남신보사 이사(1942) 등을 지냄.

편강의(片岡議)

히로시마(広島県) 출신. 광주 지역 유지들을 설득하여 출자를 받아 1910년 7월 광주 최초의 일간지인 〈광주신보〉를 창간함. 1912년 10월에 〈목포신보〉 주필이었던 상천보삼(相川保三)에게 〈광주신보〉(이후 〈광주일보〉로 개칭)를 양도함. 일본인회 평의원(1900년대), 광주학교조합 평의원(1911)을 지내다가 1920년대 즈음에 여수로 이전한 것으로 추정됨. 1935년 여수읍회 의원 보궐선거로 당선됨.

평전정기(平田正記)

상업. 광주번영회 평의원(1922), 광주면 정총대(町總代, 1926)를 지냄.

평정성태(坪井盛太)

토목 청부업자로, 광주번영회 평의원(1922), 광주면협의회 회원(1923)을 지냄.

창품익태랑(倉品益太郎)

전남 장흥군 서기(1911~1912), 광주군 서기(1913~1916), 전남 해남군 서기(1917),

전남 나주군 서기(1918~1920), 광주군수(1921~1924), 광주면장(1925~1929)을 지내고 퇴직함. 1915년 총독부 목배를 하사받음.

천원길수(川原吉秀)

1988년 출생. 나가사키(長崎市) 출신. 금융업자로, 1917년에 광주에 들어와 광주금융조합을 창립해 이사(1919~1929), 평의원(1931) 감사(1931~1943)를 지냄. 이외에 광주번영회 평의원(1922), 영산포금융조합 이사(1931), ㈜광주무진 감사(1931) 및 전무이사(1934~1939), ㈜광주제빙 이사(1939~1942), ㈜전남신보사 감사(1942)를 지냄.

천원정남(千原靜男)

1879년생. 오카야마(岡山市) 출신. 사범학교를 거쳐 메이지대학·와세다대학·니혼대학 등에서 외생(外生)으로 법문학을 연구하다, 러일전쟁에 근위병으로 종군함. 1910년 헌병 신분으로 한국에 들어와 1913년부터 광주에서 거주함. 동문통(현 금남로)에 전당포를 열고 영업을 시작했으며 광주학교조합 평의원(1917), 광주번영회 평의원(1922), 광주면 정총대(町總代, 1926), 제국재향군인회 광주분회장(1927), 질옥(質屋)조합장, 경성일보 지국장(1931), 제국재향군인회연합회 평의원 등을 지냄.

추장격태랑(秋場格太郞)

경성지방재판소(1908~1911), 평양복심법원(1912), 광주지방법원(1913~1920) 검사 및 검사정(현 지검장)을 지내다가 1920년에 사직한 후 변호사로 활동함. 호남변호사회 회장(1921), 광주번영회 회장(1922), 광주면장(1923~1924), 전남도의회 평의원(1924)을 지내다가 1925년 말에 일본으로 돌아감.

하산위차(下山爲次)

1917년부터 수기옥정(현 삼성동) 광주 천변에서 하산(下山)정미소를 운영했으며, 광주 지역 대지주 그룹에 속했음. 광주번영회 평의원(1922, 1936), 광주면 정총대(町總代, 1926), ㈜욱주조 이사(1935~1939) 및 사장(1942), 광주미곡조합장(1938), ㈜광주어매 이사(1939), ㈜광주주조 이사(1939~1942), ㈜불이주조 감사(1942)를 지냄.

호판상지조(戶板常之助)

돗토리(鳥取県) 출신. 1910년대에 소작제 영농업을 운영하는 동시에 양잠업 및 금융업도 병행함. 특히 누문리(현 누문동)에 있던 그의 양잠가옥은 당시 광주에서 가장 큰 규모였음. 다방면의 투자를 통해 상당한 부를 축적했음. 1920년 광주면협의회 회원으로 당선되나 곧바로 사임함. 광주번영회(1922), 광주면 정총대(町總代, 1926)를 지냄.

제2장

광주번영회와 한국인 지역 유지(有志)

1. 식민정치의 매개집단

일제는 병합 이전, 대한제국에 대한 고문정치, 통감정치 시기를 거치면서 내정 장악을 통해 식민지화의 기초를 닦는다. 1905년 을사조약 조인에 의해 '통감부급이사청관제(統監府及理事廳官制)'를 공포하고, 12개 지역에 이사청을 11개 지역에 지청을 설치함으로써, 일본천황-통감-이사청으로 직결되는 지휘명령 체계의 권한 구조를 확립해 한국의 중앙은 물론 지방까지 포괄하는 통치체계의 근간을 마련한다.[1] 병합과 함께 이사청은 폐지되었지만, 통감부 통치기반은 그대로 총독정치에 활용된다. 하지만, 통치구조가 만들어졌다고 해서 그것이 실질적으로 완전한 지배력을 동시에 갖추었다고 할 수는 없다. 특히 지방에 대한 지배력까지 관철시키지는 못한 상태였다. 이에 일제는 '지방제도'의 실시 및 면제 도입과 같은 행정

1 이사청에 관해서는 한지헌, 「1906~1910 통감부 이사청 연구」, 숙명여대 박사논문, 2016을 참조.

제도 정비, 중견인물 양성 등을 통해 지방 장악력을 높이기 위한 시도를 지속적으로 꾀한다. 이 과정에서 총독부 지배체제로 인도할 일종의 중간 매개체로 지역의 '유지(有志)' 집단을 육성한다.[2]

'지역 유지'는 일제가 국가헤게모니를 지방사회 내부에 관철시키기 위해 의도적으로 형성한 '총독정치의 매개집단'으로서, '재산(재력)'과 '사회 활동 능력(학력)', '[일제]당국의 신용', '사회 인망'을 고루 갖춘 지방사회 유력자 집단으로 정의된다.[3] 구한말부터 형성되기 시작한 '역사적 실체'로서의 유지 집단은 그 사회적 구성이 매우 다양했다. 이들은 '관료-유지 지배체제'의 형성 과정에서 새롭게 형성된 '권위'(사회 인망)와 '권력'(당국 신용)에 기초해 다양한 정치 활동(유지정치)을 전개했던, 그야말로 '새로운 지위집단'이었다.[4] 여기에는 재한일본인은 물론 한국인도 포함되어 있다. 특히 한국인 유지 집단은 일제 당국과 한국인들의 매개 장치라는 점에서, 식민통치에 대한 한국인들의 저항을 순화시키기 위해 꼭 필요한 존재였다. 이들이 일제 당국의 신용을 얻는 수단으로는 지방의회와 각종 공직(관변기구, 경제단체 등의 간부) 활동, 지방관료 내지 일본인 유력자들과의 인적 관계망 형성, 기부금 납부 등이 있었다. 이를 통해 한국인 유지 집단은 다양한 방식의 특권(경제적 특혜, 훈·포상, 중추원 참의 등 명예직)을 확보해나간다. 다른 한편으로 민원 해결, 자선 및 사회봉사 활동 등 한국인들의 이해

2 이용철, 「일제강점기 민영은의 유지정치와 식민권력의 청주 지역 침투」, 『한국독립운동사연구』 50, 2015, 159~160쪽.

3 지수걸, 『한국의 근대와 공주사람들(한말일제시기 공주의 근대도시발달사)』, 공주문화원, 1999, 206~207쪽.

4 지수걸은 '관료-유지 지배체제'에 대해, 지방유지 집단의 형성과 더불어 일제의 지방지배 과정에서 만들어진 독특한 지배체제라고 설명하고 있다. 총독부 권력과 유지 집단은 이 같은 체제를 통해 자신들의 이해를 직·간접적으로 관철시켰다고 본다. 지방유지의 성격에 대한 논의는, 지수걸의 「일제하 충남 서산군의 '관료-유지 지배체제'」(『역사문제연구』 3, 1998, 18쪽, 39~40쪽)를 참조.

를 대변함으로써 지역민들의 신망과 지지를 추구하는 존재이기도 했다.[5]

광주에서 한국인 유지 집단이 본격적으로 형성되기 시작한 것은, 이들의 정치 참여가 부분적으로나마 가능해진 1920년대 들어서이다. 병합 이전, 금융조합이나 농공은행 등 주로 관제적 성격을 가진 금융기관의 주요 직책을 통해 소수의 지역 명망가들이 불려 나오다가, 1920년부터 시작된 지방의회 선거는 광주 지역 내 새로운 유지 집단을 형성하는 데 기폭제가 된다. 이들 역시 지역 내 일본인 관료나 민간 유력자들과 관계를 맺으며 정치적·경제적 입지를 확보하면서 유지 집단으로 성장해나간다. 이때 사적·공적 관계망들이 모두 작동했는데, 특히 공적 관계망은 지방의회의 동료의원이나 위원회 및 관변단체의 회원 등 다양한 방식으로 존재했다. 이 관계망 중 특히 주목할 만한 것은 '광주번영회'라는 민간단체이다. 1920~1930년대 기간 동안, 선거를 통해 공직에 진출한 한국인 의원들 대다수가 '광주번영회' 평의원이었기 때문이다. 광주번영회는 1910년대부터 1930년대까지 광주에 존재했던 단체로, 광주의 도시개발사업에 적극적으로 개입했던 민간조직이었다.[6] 일본인과 한국인 유력자들이 회원으로 있었으며, 이들은 당시 지역 유지 집단을 형성하고 있었다.

이 글에서는 '광주번영회' 한국인들을 중심으로, 일제강점기 광주 지역 내 한국인 유지 집단에 대해 다루고자 한다. 여기서는 광주 한국인 유지 집단이 등장하는 경로 및 과정, '광주번영회'를 포함한 기타 조직들 속에서 일본인 유력자와의 관계망, 유지 활동(지역민원 해결, 자선 등), 친일부역과 그에 따른 보상 등을 중점적으로 살펴본다. 이를 통해 일제강점기 지역

5 동선희, 『식민권력과 조선인 지역유력자』, 선인, 2011, 173~188쪽 참조.

6 광주번영회는 민간단체였지만, 사실상 관변단체 성격을 갖고 있었으며, 1917년에 출판된 『광주지방사정』(광주민속박물관, 『일제강점기 광주문헌집』, 2004, 100쪽)에 '공공단체'로 분류되어 있다.

유지 집단의 성격과 더불어 식민정치 매개집단으로서 필연적으로 가질 수 밖에 없었던 그들의 중층적 위치를 읽어낼 수 있게 될 것이다.

2. 광주 지역 유지 집단의 형성

지역 명망가들의 소환

병합 이전에 시작된 통감정치는 일본인들이 내륙지방으로 진출할 수 있는 발판을 마련하는데, 광주 지역에서는 1907년 이사청 지청과 통감부 경무고문부 설치, 1908년에 일본인 판·검사로 구성된 광주재판소 신설, 그리고 일본인 지방관이 한국인 도관찰사를 감독하는 차관정치가 개시됨으로써 광주는 사실상 일제에 의해 장악된 상태가 된다.

지역경제 측면에서도 일제는 1906년 광주농공은행, 1907년 광주지방금융조합을 설립해 식민경제 토대를 마련한다. 두 금융기관 모두 대한제국 시기 재정고문이었던 자하전종태랑(自賀田種太郎)에 의해 제안된 것으로, 일제의 식민 지배를 금융 면에서 지원했던 대표적인 식민지 금융기구라 할 수 있다. 이 기관들은 모두 형식적으로는 한국인들이 중역을 맡고 있으나, 실질적인 운영주체는 일본인이었다.[7] 당시 일제는 한국인 자산가들의 자본 동원은 물론, 그들의 사회적 명망과 신용을 이용해 한국인 조합원들을 유인하는 전략으로 지역의 명망가들을 금융기구의 설립위원이나

7 광주농공은행의 조합장과 평의원은 모두 한국인이었으나 실질적인 경영은 일본인 지배인(森悟一)이 지배했으며, 이는 광주지방금융조합도 마찬가지였다. 광주금조도 1907년부터 1918년까지 실질적인 운영은 일본인 이사(奧田種彦(1907)－林晃英(1909)－森平和三郎(1914)－堀內光芳(1917))가 전담했다. 이에 관해서는 광주직할시사편찬위원회, 『광주시사』(제2권), 1993, 386~390쪽;광주민속박물관, 앞의 책, 77~79쪽 참조.

중역 자리에 끌어들였던 것이다.[8] 일제에 의해 광주 지역의 명망가들이 하나둘씩 호명되어 나온 것은, 바로 이 금융기구를 통해서였다.

광주농공은행은 설립위원이나 중역들 모두가 한국인들로 구성되어 있었으나, 현재 이름을 확인할 수 있는 것은 김형옥과 최상진 정도이다. 둘 모두 대한제국기 관료 출신들로, 김형옥은 전라남도관찰부 총순(摠巡)을, 최상진은 전라남도관찰부 수서기 및 주사를 지낸 바 있다. 모두 광주농공은행의 설립위원으로 참여하였으며, 김형옥은 1908년 감사로 선출되었다. 뒤이어 설립된 광주지방금융조합은, 조합장으로 최상진, 평의원에는 정재룡·김장호·김영섭·문형로 등이 선출된다. 두 기관의 한국인들 중 특히 김형옥과 최상진을 주목할 필요가 있는데, 이들은 병합 후에 전라남도 지방토지조사위원(김·최), 광주면의 관선 상담역(김·최), 광주면장(최), 면협의회 및 도평 의원(김) 등 요직을 두루 거치면서 '지역 유지'로서 자리잡게 된다.[9]

1910년대에 들어와, 광주농공은행과 광주지방금융조합의 중역에는 새로운 이름들이 등장한다. 『광주지방사정』(이하 『사정』)에 따르면, 농공은행의 취체역에 정낙교·박하준·현기봉, 감사역에 지응현·최원택의 이름이 올라 있으며, 정낙교는 금융조합의 조합장을 겸하고 있다. 모두 대지주들로서, 목포를 기반으로 활동하면서 중추원 참의까지 올랐던 현기봉을 제외하고는, 특별하게 정치적 경로를 밟지 않으면서 '관습적 의미에서' 지역

8 농공은행과 금융조합의 성격에 대해서는, 이동언의 「일제하 조선금융조합의 설립과 성격」(『한국독립운동사연구』 6, 1992)과 정병욱의 「농공은행·조선식산은행의 운영주체와 조선인 참여자의 지위」(『민족문화연구』 38, 2003)를 참조할 것.

9 특히 김형옥은 병합 이후, 창평군수(1910), 광주농공은행 취체 및 은행장(1912, 1914), 조선식산은행 상담역(1918), 관선 도평의원(1920, 1924), 광주금융조합 평의원(1929) 등을 맡았으며, 이 과정에서 조선총독부로부터 '쇼와천황즉위기념대례기념장'을 포함, 다양한 포상을 받게 된다. 그는 친일인명사전에 등록되어 있다(민족문제연구소, 『친일인명사전(1)』, 2009, 694~695쪽 참조).

유지 역할을 해내다 일생을 마감한다. 하지만 그들의 자식세대(현준호·지정선·지창선·정상호 등)는 신흥자본가의 면모와 더불어 일부는 정치계에 입문하면서 일제강점기에 '새롭게 부상한 지역 유지'로서의 전형적인 삶을 살아가게 된다(자세한 것은 후술하기로 한다).

한편, 이렇듯 지역 명망가들이 관변기구에 소환당하는 상황 이외에, 한국인은 민간조직을 통해서도 일본인과의 관계망을 형성해가기 시작한 것으로 보인다. 광주에 민간인 거류자로서 일본인들이 들어오기 시작한 것은 1905년으로, 1906년에는 10여 명에 불과했던 이들이 1910년이 되면 1,300여 명이 될 정도로 늘어난다.[10] 이들은 병합 이전부터 광주재향군인단, 일본인회 등 자치조직을 통해 생활을 안착시켜 나가는데, 병합 이후에 이 조직들이 해체, 재구성되면서 다양한 단체들로 분화된다. 이 단체들에 대해『사정』에서는 일본적십자사 광주지사, 애국부인회 광주지부, 제국재향군인회 광주지부, 광주번영회, 광주보호회 등을 소개하고 있는데, 이 중 일본적십자사와 애국부인회에 한국인과 일본인이 회원으로 같이 들어와 있다고 기재되어 있다.[11] 하지만 회원들의 명단 자료가 없어, 당시 어떤 한국인들이 포함되어 있는지는 파악할 수 없다. 다만, 지역사회 안에서 한국인과 일본인들이 서서히 다양한 접점들을 통해 관계망들을 만들어나가고 있었다는 사실은 분명하다.

지역의 유력자로서 새롭게 부상하던 유지 집단의 면모를 제대로 확인할 수 있는 민간조직은 '광주번영회'이다. 제1장에서 살폈던 것처럼 광주번영회는 일제강점기 동안, 광주가 당면했던 지역사회의 현안에 각각 대응하면서 세 차례에 걸쳐 창립을 반복해나갔던 독특한 조직이었다. 첫 번

10 광주직할시사편찬위원회, 앞의 책, 262쪽.
11 일본적십자사 광주지사에는 일본인 211명/한국인 115명이 있으며, 애국부인회에는 일선인(日鮮人) 합해 총 825명이 회원으로 있다(광주민속박물관, 앞의 책, 99쪽).

째 창립은 1911년에 일본인 중심으로 조직되었는데, 이때 번영회의 역할은 병합 이후 일본인들의 몸에 맞는 식민도시(시구개정·공원설치·도로개통)를 만들어나가는 데 복무하는 것이었다. 두 번째 창립은 1922년으로, 광주가 지정면(指定面)이 된 후 내륙의 행정거점도시로 도약하기 위한 '대광주건설계획'에 협조하기 위한 것이었다. 세 번째 창립은 광주읍이 광주부(府)로 승격한 이듬해인 1936년에 이루어지는데, 이때는 '상공업도시로의 도약'이라는 과제가 지역사회에 걸려 있었다. 각각의 시대적 과제에서 알 수 있는 것처럼, 모두 대규모 토목사업이 동반되는 것들이었으며, 광주번영회는 이런 현안들을 '관민협조'라는 이름하에 일제 행정당국과 교섭, 추진, 실행해나갔다. 게다가 번영회 회원들 대다수가 광주 지역 면협의회·읍회·부회 등의 회원 및 의원들이었다는 점, 특히 자문기구에서 의결기구로 넘어가는 읍회(1931)부터 사업은 물론 예산 결정 권한까지 갖고 있었다는 점에서 광주번영회는 단순한 민간조직의 수준을 넘어서는 성격을 갖고 있었다.

당시 광주번영회를 이끌었던 주력은 역시 일본인들이었다. 이들은 병합 이전부터 광주에 들어와 영농과 소상공인으로 출발, 자본을 축적하기 시작하면서 지역사회의 유력 집단으로 부상하기 시작한다. 특히 1920년부터 시작된 대대적인 정계 진출로, 전형적인 정경유착의 행태를 보여주면서 일제 말까지 신흥자본가로 성장하는 단계를 밟아나간다. 이들은 국가권력 및 관의 적극적 지원 위에 광주의 정치·경제계를 장악하면서 토호세력화를 통해 지역사회 밑바닥까지 식민구조를 완성시키는 데 일조했다고 볼 수 있다.[12]

광주번영회의 이 같은 성격을 정확하게 이해할 때, 우리는 당시 한국인

12 광주번영회에 대해서는 이 책의 제1장을 참조.

유지 집단이 어떤 자리를 맴돌고 있었는가를 파악할 수가 있다. 한국인 유지 집단 역시 광주번영회 평의원, 1920년부터 시작된 정치계 입문 등의 경험을 일본인 유지 집단과 똑같이 공유하고 있기 때문이다.

'광주번영회'와 한국인 유지 집단의 성격

광주번영회에 한국인의 명단을 확인할 수 있는 것은 1922년과 1936년이다. 먼저, 1922년 창립총회에서는 총 53명의 평의원이 선출되는데, 이 중 한국인은 9명(일본인 44명)이었다. 1936년 창립 시에는 총 50명의 평의원 중, 한국인은 19명(일본인 31명)이다. 평의원 외 일반회원들의 명단은 현재 남아 있지 않은 상황이지만, 1936년 신문기사에 240여 명이 참여했다고 한 것으로 보아(「광주번영회, 19일에 창총」, 『매일신보』, 1936. 9. 18.), 1922년에도 이에 버금가는 숫자가 모였을 것으로 보인다. 여기에 지역사회에서 내로라할 만한 인물들(한국인·일본인)은 모두 포함되었을 것이며, 그중에서도 평의원은 훨씬 더 유력한 인물들이었을 것이다. 각 해당 연도의 한국인 명단은 다음과 같다.

〈표 1〉 '광주번영회' 한국인 평의원 명단(밑줄은 신진)

창립 연도	한국인 평의원 명단
1922년(9명)	玄俊鎬·金衡玉·李政相·吳憲昌·崔相鎮·朱賀永·張影斗·朴癸一·丁根燮
1936년(19명)	玄俊鎬·吳憲昌·金信錫·金喜誠·沈德善·金膺模·崔炅植·文鎮庠·金相淳·崔駿基·李采順·崔海泳·池正宣·鄭文謨·崔當植·劉演相·尹燁·金在千·宋和植

두 창립연도에서 보이는 한국인 명단은 두 가지 측면에서 변화를 말해주고 있다. 첫째, 전체 평의원 수는 비슷한 수준인데, 한국인 평의원의 숫자가 2배가 넘게 늘어났다는 것이다. 이는 일본인에 비해 출발은 늦었지만 점차 지역사회에 입김을 발휘하는 유력자로 성장하면서 유지 집단을

형성해나간 결과라 할 수 있다. 이러한 양적 성장은 뒤에서 확인하게 될 정치계 입문 상황에서도 유사하게 나타난다. 둘째, 1936년 평의원 중 현준호와 오헌창을 제외하고 모두가 신진인물들이라는 점이다. 두 창립대회 간에 14년의 시간차를 감안하면, 이러한 세대교체는 자연스러운 것으로 보인다. 이는 일본인 평의원 명단에서도 비슷한 현상을 보이는데, 총 31명의 일본인 평의원(1936년도) 중 신진세대가 18명이다.[13] 하지만 일본인 신진세대가 58%에 머물고 있는 반면, 한국인은 89%임을 볼 때 훨씬 빠르게 세대교체가 이루어지고 있음을 알 수 있다.

한편, 광주번영회가 당시 지역사회에 가졌던 절대적 힘은 단순한 유력자들의 모임이어서가 아니라, 번영회를 이끌어가는 평의원들 상당수가 1920년부터 시작된 면협의회·읍회·부회는 물론 전남도평 및 도회에 이르기까지 회원과 의원 자리에 있었기 때문에 가능한 것이었다. 이는 일본인은 물론 한국인 평의원들도 마찬가지였다. 이 시기 정계에 입문했던 한국인 평의원들의 명단을 살펴보면 다음과 같다.

〈표 2〉 광주 지방의회(면협의회·읍회·부회) 한국인 회원 및 의원

<table>
<tr><th>구분</th><th>연도(정원)</th><th>광주(면협·읍·부) 회원·의원</th><th>전남 [광주군] 도평·도회 의원
(관선/민선 구분)</th></tr>
<tr><td rowspan="4">면협의회</td><td>1920(12명)</td><td>玄俊鎬·金衡玉·李政相·朱賀永·張影斗(5명)</td><td rowspan="4">①도평의원(관선/민선)
· 1920~: 金衡玉(관)·崔相鉉(민)
· 1924~: 金衡玉(관)·玄俊鎬(민)
· 1927~: 정수태(관)·玄俊鎬(민)·尹燁(민)
· 1930~: 金信錫(관)·朴癸一(민)</td></tr>
<tr><td>1923(12명)</td><td>金相淳·玄俊鎬·吳憲昌·朴癸一·李起澔(5명)</td></tr>
<tr><td>1926(14명)</td><td>金相淳·玄俊鎬·崔駿基·吳憲昌·李起澔·林鳳周(6명)</td></tr>
<tr><td>1929(14명)</td><td>金信錫·沈德善·崔駿基·金相淳·宋和植·吳憲昌·金基浩(7명)</td></tr>
</table>

13 일본인 평의원 명단에 대해서는 이 책의 Ⅰ장을 참조.

<table>
<tr><th>구분</th><th>연도(정원)</th><th>광주(면협·읍·부) 회원·의원</th><th>전남 [광주군] 도평·도회 의원
(관선/민선 구분)</th></tr>
<tr><td>읍회</td><td>1931(14명)</td><td>崔駿基·金信錫·金相淳·安定基(4명)</td><td rowspan="3">②도회의원
· 1933~: 金信錫(관)·池正宣(민)
· 1937~: 金信錫(관)·池正宣(민)
· 1941~: 金信錫(관)·崔駿基(민)</td></tr>
<tr><td rowspan="2">부회</td><td>1935(30명)</td><td>崔當植·尹燁·鄭文謨·李采順·崔駿基·宋和植·金在千·金相淳·劉演相·池正宣·朴圭海·崔泳仲(12명)</td></tr>
<tr><td>1939(30명)</td><td>崔當植·李菜順·崔駿基·宋和植·崔炅植·鄭文謨·金膺模·金在千·鄭淳極·金在珪·李得洙·金興悅·梁會仁·姜濟鎬·朴英海(15명)</td></tr>
</table>

중복된 이름을 빼면 총 34명의 지방의회 회원 및 의원 중 21명(밑줄 명단)이 광주번영회 평의원들이다.[14] 게다가 전남도평 및 도회의 광주대표 의원들 대다수도 평의원들임을 알 수 있다. 1920년도부터 1935년까지 번영회 평의원들이 압도적으로 많다가, 1939년 부회에서 절반 가까이 줄어든 것은, 신진 정치인들이 광주번영회의 세 번째 창립이 이루어진 지 한참 지나서야 정계에 입문하기 때문이다. 따라서 시기상의 문제 때문에 평의원 명단에 없을 뿐, 그들 또한 정계 입문과 동시에 광주번영회를 중심으로 형성된 지역 유력자들과의 관계망 안에 들어왔을 것으로 보인다. 이렇듯 일제강점기 광주 내 한국인 지역 유지 집단은 광주번영회가 갖는 강력한 자장 안에서 형성된 것으로 볼 수 있다. 정리해 보자면, 광주번영회 평의원 명단(1922·1936년 중복 제외, 총 26명)과 여기에 속하지 않은 13명의 지방의회 회원 및 의원들의 명단(위의 표에서 밑줄 없는 명단)까지 합

14 1936년 광주번영회 창립발기인회 소식을 간단히 전하고 있는 『동아일보』 기사(「몰서」, 1936. 06. 24)에 따르면, 광주번영회가 부회 의원 등이 중심으로 되어 조직된 것으로 설명하고 있다. 이로 볼 때, 1922년에 창립된 광주번영회 역시 면협의회 회원들이 중심이 되어 조직되었을 것임을 추정할 수 있다. 1920년 한국인 면협의회 회원 5명 모두가 평의원들이라는 사실에서 이를 확인할 수 있다. 또한 일본인 회원 및 의원들 역시 마찬가지로, 총 31명 중 28명이 광주번영회 평의원들이었다.

좌 1932년 3월 7일 전라남도 평의원 회의(장소:무덕전)〈사진출처 : 『매일신보』, 1932. 7. 9.(3면)〉 **우** 1939년 11월 28일 광주부회 회의(장소:분회의실)〈사진출처 : 『매일신보』, 1939. 11. 30.(7면)〉

하면, 당시 1920년대부터 일제 말까지 한국인 유지 집단의 면모를 확인할 수가 있다. 물론 그중에서도 평의원이면서 동시에 정계에 진출한 한국인들은 유지 집단의 핵심으로, 지역사회 영향력이 훨씬 더 컸을 것이다.

그렇다면, 이들은 어떤 출신배경을 가진 자들로 이루어졌을까? 먼저 한국인 유지 집단이 지역사회에 자신의 이름을 처음 내놓았을 때(회원 및 의원)의 시점을 기준으로, 현재 파악 가능한 수준에서 학력 및 직업군을 살펴보기로 하자.

〈표 3〉 광주 지역 한국인 유지 집단 이력사항[15]

정계 입문 연도	성명	출생 연도	최종 학력	당시 직업	정계 입문 직전 및 직후 주요 경력
1920	현준호	1889	명치대 법과 중퇴	기업인	호남은행 전무취체역, 대지주(父 현기봉)
	김형옥	1868	–	금융인	한말 관료 출신, 호남은행 취체역
	이정상	1884	일어화성학교 졸	변호사	판사 출신

15 자료 출처 : 『광주지방사정』, 『조선공로자명감』, 『조선총독부 관보』, 『조선총독부 및 소속관서 직원록』, 『조선인사흥신록』, 『조선은행회사조합요록』, 『동아일보』, 『매일신보』, 『조선일보』, 『대한민국인사록』, 『대한민국건국십년지대한연감』, 『친일인명사전(1-3)』, 『근현대의 형성과 지역 엘리트』(정근식 외, 새길, 1995) 등.

정계 입문 연도	성명	출생 연도	최종 학력	당시 직업	정계 입문 직전 및 직후 주요 경력
1920	주하영	–	–	–	광주면 구장(1917), 광주주조(주) 대주주
	장경두	–	–	지주	
1923	김상순	1871	명치대 법과 졸	–	경무부 경시 퇴직
	오헌창	–	–	언론인	매일신보 전남지국장
	박계일	–	–	–	지방법원 서기 출신, 광주부면장(1924~1928)
1926	최준기	1891	광주농고 졸	회사원	호남산업(주) 지배인
	임봉주	–	–	–	광주군 서기 출신
1929	김신석	1896	조도전대 중퇴	금융인	호남은행 취체역
	심덕선	1895	–	상업	남창상회 사장
	송화식	1898	경성법전 졸	변호사	판사 출신
1931	안정기	–	조도전대 졸	우편소장	군수부이사관 퇴직, 매일신보 전남지국장
1935	최영중	1889	–	기업인	서기 출신, 광주농공(주) 사장
	최당식	1895	–	농업	경찰 출신, 신문기자(1939)
	윤엽	1900	–	기업인	도평(강진)의원(1927), 윤엽자동차부 사장, 매일신보 강진분국장
	정문모	1897	경성법전 졸	변호사	검사 출신
	이채순	1893	–	주조업	경무부 경부 퇴직
	박규해	1891	광주*교 졸	농업	총독부 군속 퇴직
	김재천	1894	조도전대 법과 졸	변호사	경찰 출신
	유연상	1897	동경명치학원 졸	약종업	
	지정선	1905	동지사대 예과 졸	기업인	선광상사(주) 취체역 및 대주주, 전남도평(광산)
1939	정순극	1898	경성의학강습소 중퇴	농업	경방단남분단장
	김재규	1908	명치대 법과 졸	우편소장	대정정우편소 경영
	이득수	1905	동경원예전문학교 졸	농업	
	김홍열	1894	경성의학강습소 졸	의사	중앙의원 원장

정계 입문 연도	성명	출생 연도	최종 학력	당시 직업	정계 입문 직전 및 직후 주요 경력
1939	양회인	1911	고창고보 졸	농업	
	최경식	1893	-	정미업	호남은행 출신, 중앙일보 광주지국장
	강제호	1889	경성고보 부설 교원 양성소 졸	광산업	교장 퇴직
	박영해	1905	보성전문학교 법과 졸	농업	진안세무서 과장 퇴직
	김응모	1902	경성법전 졸	변호사	판사 출신

앞서 당시 지역 유지가 갖춰야 할 몇 가지 조건(재력, 학력, 당국의 신용 등)을 가지고 위의 인사들의 이력을 살펴보면, 가장 먼저 눈에 띄는 것은 역시 학력이다. 총 32명 중 20명(62%)이 일본 유학을 포함해 근대 고등교육을 받은 고학력자들로 구성되어 있다. 초기 한말 관료나 지주 출신들을 제외하면, 고학력 경향은 세대 구분이 없으며, 특히 일제강점기 중반을 넘어서는 1920년대 말부터 등장하는 신진세대들은 더욱 그 경향이 강해지는 특성을 보이고 있다.

직업적 측면에서는 경제계 11명, 전문직(언론·법조·의료) 9명, 농업 6명, 기타 6명으로 나타난다. 경제계 인물들은 본인이 회사를 설립해 경영하거나 회사의 중역 혹은 대주주 등이며, 정미업·주조업·광산업 등을 하고 있는 인사들도 전직(前職)이 경찰·관료·교육자·은행원이었다는 점을 고려하면 크게 뒤떨어지지 않은 재력을 갖고 있었다고 볼 수 있다. 이는 농업으로 표기되어 있는 인물들도 마찬가지인데, 그들의 전직 또한 경찰이나 관료 출신들이 절반이다.[16] 전문직의 재력은 의심할 바가 없으며, '기

16 당시 광주부회 의원 선거에 입후보한 후보들의 프로필에 따르면, 정순극·양회인·이득수는 가정 형편이 좋지 않아 학교를 중퇴하거나 상급학교 진학을 하지 못한 것으로 보도되고 있다(「광주부의 입후보자 프로필」, 『동아일보』, 1939. 11. 18.). 하지만, 정계 입문 나이를 고려하면(양회인은 29세로 제외), 같은 공직자들에 비해 상대적으로 재력이 떨어질 뿐 평균 이상의 수준을 유지했었을 것으로 추정된다.

타'로 분류되어 있는 인물들도 회사의 지배인, 지주, 경찰이나 관료 출신들이라는 점에서 재력의 수준을 짐작할 수 있다.[17]

이렇듯 학력과 재력을 바탕으로 한 정치계 입문을 통해 공직자로서 '[일제] 당국의 신용'까지 획득했다는 점, 그리고 지역 여론을 움직이는 언론의 힘까지 소유하고 있다는 점에서 전형적인 지역 유력자 집단, 즉 지역 유지로서의 면모를 보여준다고 할 수 있다. 한편으로, 이 과정에서 광주번영회는 지역 유지 집단의 앞뒤 세대를 연결하고, 더불어 일본인 유력자들과의 관계망을 통해 당국의 신용을 더욱 강화하는 기제가 되었던 것이다. 이러한 전체적인 역량을 토대로 한국인 유지 집단은 지역사회에서 다양한 활동을 전개해 나간다.

3. 한국인 유지, 그 중층성의 경계

유지 집단의 지역 활동

'지역 활동'은 유지 집단이 지역민과 일상적으로 접촉하는 과정에서 이루어진, 지역적 요구를 실현하려는 활동을 말한다. 이 활동은 처음부터 민족·사회운동의 일환으로 전개되기도 하고, 이와는 상관없이 지역 상층부의 이권 옹호운동으로 일어나기도 했다. 1920년대 이후에는 지역민들이 자신들의 의견을 표출하고 요구를 제기하는 수준과 강도가 높아짐에 따라

17 현준호는 대지주였던 현기봉의 아들이자, 본인 또한 토지 713정보를 소유한 대지주였다. 호남은행 설립자이자 대주주였으며, 경성방직·동아일보사·조선생명보험·전남도시제사 등 다수 기업의 중역을 지냈다. 지정선은 대지주 지응현(485정보)의 아들로, 봉남농장·선광상사·조선상사 등의 중역을 지냈다. 김형옥은 농공은행·광주경편철도·광주공업 중역을 지냈으며, 신의주주조·조선잠업·조선도서 등 회사를 설립했다. 일제강점기 대지주 목록에 대해서는 『농지개혁시 피분배지주 및 일제하 대지주 명부』(한국농촌경제연구원, 1985)를 참조.

유지 집단도 이에 대응하지 않을 수가 없었다.[18] 당시 유지 집단의 지역 활동에는 교육, 언론, 구제 및 자선, 지역민원 해결, 나아가 한·일 민족 간 이해관계가 대립할 때는 과감한 투쟁까지 포함되었다.

광주에서도 지역 유지들은 민립대학기성회, 각 학교 설립 및 학교기성회, 야학 등 한국인 교육을 위한 활동에 적극적으로 개입해 들어갔으며, 기부금은 물론 운영에까지 참여했다. 기부 활동의 범위는 교육 이외에도 청년회관 건립, 수해·기근·화재와 같은 재난상황, 빈민 등 폭넓게 전개되었으며, 자선음악회나 구제회 같은 형식을 통해 자신의 기부뿐만 아니라 지역사회 기부 활동을 유도하기도 했다. 당시 이런 활동들은 광주뿐만 아니라 전국적으로 유사하게 진행되었다.

유지 집단의 활동 중 가장 핵심적인 것은, 무엇보다도 지역민원 해결이었다. 이는 위에서 살핀 것처럼, [다른 지역과 마찬가지로] 광주 유지 집단 상당수가 지방의회 회원 및 의원 활동을 하는 공직자였다는 점에서 당연한 것이기도 했다. 이러한 민원 내용은 한국인과 일본인이 공존하는 지역사회에서 사안에 따라 때로는 타협하기도 하고, 때로는 민족 간 충돌도 불사해야 했던 것들이었다. 예를 들어, 철도촉진기성회나 광주부(府) 승격운동 같은 사안은 민족 구분 상관없이 지역사회 전체가 총력을 기울여 총독부와 교섭과정을 통해 해결해나갔지만, 한국인의 삶과 직결된 몇몇 사안들에 대해서는 사표투쟁, 예산투쟁 등 다양한 방식들로 싸워나갔다. 이와 관련하여 대표적인 몇 가지 사례를 살펴보기로 하자.

광주는 1917년 지정면이 된 후, 시가지가 발달하고 인구 유입이 지속적으로 증가하면서 근대적 도시 면모를 갖춰나가는데, 폭발적인 인구 증가를 감당할 만한 도시 인프라 구축을 위해 '하천정리사업'을 계획하게 된다.

18 동선희, 앞의 책, 229쪽.

광주천변을 매립, 정리하여 조성된 대지에 주택단지, 시장, 공장, 운동장 같은 시설을 입주시키는 계획으로, 광주 최초의 (신)시가지개발사업이라고 볼 수 있다.[19] 이 계획에 따라, 광주천 정리사업은 1차(금교-누문천 구간, 1926-1928년), 2차(금교-철교 구간, 1936년)에 걸쳐 시행되는데, 두 사업 모두 한국인 의원들의 투쟁이 전개되었던 것을 볼 수 있다.

먼저 1차 사업은, 하천정리 이전 광주천변에 있던 오일장 2개를 합쳐 매립부지에 들어서게 될 상설시장(당시 사정시장)으로 이전한다는 계획을 포함하고 있었는데, 공사가 완료된 1928년에 광주면은 상설시장 점포를 분양하는 절차에 들어간다. 그런데 분양과정에서 광주면장(倉品益太郎)은 오랫동안 이 부지의 연고자였던 한국인의 신청을 기각하고, 일본인 건설업자에게 특혜분양을 하는 사건이 일어난다. 이에 격분한 한국 상인들은 '상민대회'를 개최해 면장의 불신임안과 더불어 부당한 처치를 취소할 것을 행정당국에 요청한다. 당시 면협의회는 긴급회의를 소집해 한·일 의원들 간의 격론과 함께 험악한 상황이 벌어졌으며, 의견 차가 좁혀지지 않자 한국인 의원 5명은 즉석에서 사직서를 제출한다. 결국 며칠 후, 면장은 대부 허가를 취소하는 동시에 연고가 있는 한국인에게 대부한다는 결정을 내린다. 이 특혜분양사건과 더불어 공사 부실과 비리에 관여되어 있던 창품(倉品)면장은, 이듬해 사직하게 된다.[20]

1936년 2차 사업은, 하천정리를 하면서 그 주변에 형성된 한국인 빈민부락을 집단이주 시키기 위한 예산투쟁과 관련된다. 당시 2차 사업구간인 금정 및 양림정 일대 천변에는 5백여 호(2만 5천여 명) 빈민들이 토막을 지어 생활하고 있었는데, 하천 정비는 곧 이들의 이주문제와 연동되어 있었다.

19 광주직할시사편찬위원회, 앞의 책, 193~200쪽 참조.
20 상세한 내용에 대해서는 이 책의 제4장을 참조할 것.

광주부는 학강정에 '갱생지구'를 조성해 집단이주 시킬 계획을 세우고, 이어 광주부회에 안건 중 하나로 관련 예산안('河川敷地埋立並更生地區 設置費起債의 件')이 올라오게 된다. 그런데 이 예산안에 대해 일본인 의원들이 액수가 너무 거액인 데다, "학강정에 그런 부락을 두는 것은 광주부의 수치"라는 표현을 쓰며 "조선인을 모욕하는 언사를 암암리에 표명"함으로써 한국인 의원들의 감정을 자극한다. 당시 최준기·지정선·정문모 등 3명의 의원이 일본인 의원들과 맹렬한 설전을 벌이게 되면서 부의장이 휴회를 선언할 만큼 회의장이 소란스러워진다. 사태가 이렇게 되자 부의장이 정회를 선언하는데, 이때 다시 개회된 회의석상에서 결국 문제를 제기한 일본인 의원들이 제안을 철회함으로써 이 예산안은 원안대로 통과되기에 이른다.[21]

이외에도 현준호는 면협 및 전남도평 의원 시절, "조선인 측의 이익을 적극적으로 옹호"하기 위해 "일본인 공직자들과 많은 의사충돌"을 해오다가, 1928년 광주공설운동장 기부금 모집과 관련해 한·일 간 액수배정 문제가 차별적으로 진행되는 데 대해 논쟁을 벌이던 중, 뜻대로 되지 않자 결국 면협의원을 비롯해 전남도평의원, 광주번영회장 등 10여 개의 공직을 사퇴해버리는 강수를 두기도 했다.[22] 이듬해 사퇴를 자진 철회하기는 했지만, 그 후로도 현준호는 의회에 출석하지 않았으며, 이후 선거에도 출마하지 않는다.[23] 또한, 지역 유지 중에는 의원 활동을 병행하고 있는 변호

21 이와 관련해서는 이 책의 제3장과 윤현석의 「일제강점기 빈민 주거 문제에 있어서 광주의 조선인 지도층 대처에 관한 연구」(『도시연구』 22, 2019)를 참조할 것.

22 「현준호씨 공직 전부 사임」, 『동아일보』, 1928. 10. 24.

23 해방 후 반민특위조사에서 현준호는 이 사퇴사건과 관련해, 1927년 전남도평의회에서 대전기념식 기부금 거출에 대해 한국인 부담이 일본인보다 더 과함을 지적하자, 일본인 의원들이 '불경죄'를 운운하는 데 반발해 공직 전부를 사임했다고 증언하고 있다(반민족행위특별조사위원회, 『반민특위조사기록』 피의자신문조서(1949-05-26). 당시 신문기사와 현준호의 기억 간에 다소 차이가 있음을 알 수 있다. 그 시기야 어떻든 간에, 현준호는 1930년대부터 중앙 기반의 관변단체 활동과 간척지사업에 집중하게 된다.

사들도 많았는데(송화식·이정상·김재천·정문모), 이들은 광주공립고등보통학교 동맹휴교사건(1928), 광주학생독립운동(1929), 전남노농협의회사건(1934), 목포공산주의자동맹사건(1936) 등 지역을 흔들었던 굵직한 사건에서 항일운동 관련자들을 위한 변론에도 적극 힘썼음을 볼 수 있다.

이와 같이 한국인 유지 집단은, 지역 한국인들을 대상으로 한 다양한 활동들 즉, 교육운동, 구제 및 자선과 같은 기부 활동, 지역민원 해결(특히 민족 이해관계 관련 사안들) 등을 통해 폭넓게 '사회인망'을 획득해나갔던 것으로 보인다.[24]

특혜와 친일부역, 그리고 반쪽의 관계망들

일제강점기 한국인 지역 유지 집단은 한편으로는, 민족의 이해를 대변하는 다양한 활동을 통해 '사회인망'을 확보해나가면서, 다른 한편으로는 지방의회 회원 및 의원, 다양한 관변단체 활동, 그리고 총독부 사업 등에 대한 기부와 헌납 등을 통해 '[일제] 당국의 신용'을 강화해나간다. 후자는 이른바, 우리가 '친일 활동'이라 부르는 그 범주에 들어 있는 것들이다. 광주 지역 유지 집단 역시 마찬가지다. '친일'의 범주를 어디까지 볼 것이냐는 논란의 여지가 있거니와, 여기서는 논란을 최소화하기 위해 가능한 한 『친일인명사전』에 등록된 광주 지역 유지들을 중심으로 그 활동들을 살피기로 한다.

이들은 총독정치를 지원하는 국민협회부터 시작해, 일제의 황민화정책과 전쟁 협력을 위해 조직된 조선국방의회연합회, 조선유도연합회, 국민

24 지수걸은 지역 유지 집단이 공직자로서 행했던 다양한 유지 활동들이 '온정주의'에 기반하며 이를 통해 명망성을 획득했다고 본다. 기존의 양반사족들의 명망성이 '사적인 지배-예속관계' 속에서 형성되었다면, 일제강점기 지역 유지들의 '사회인망'은 일종의 '공적 관계' 속에서 형성된 명망성이라는 점에서 완전히 새로운 것이라고 해석한다[지수걸(1998), 앞의 논문, 70쪽 참조].

정신총동원조선연맹, 조선임전보국단 등을 통해 국방헌금모금운동을 하고, 한국인을 향해 정신대와 학도병에 지원할 것을 촉구하는 강연을 전국적으로 하고 다녔으며, 신문과 잡지에 글을 실었다. 사상범 전향과 보호관찰을 위한 광주보호관찰소의 촉탁보호사, 광주보호관찰심사회의 위원, 시국대응전선사상보국연맹 및 광주대화숙의 이사로 활동한 이도 있다. 또한 일제강점 10주기·20주기를 기념하는 봉안전이나 광주신사 건립, 국방헌금, 군사후원 등 각종 기부도 활발했다. 일제 말에 이르면 창씨개명까지 단행한다.[25]

이로 보면, 지역 유지 조건으로서의 '당국의 신용'은 단순히 일본인 유력자와의 관계망을 갖거나 지방의회 공직자의 권위를 갖는다고 해서 완성되는 게 아니라, 총독부가 원하는 방식의 관변기구나 단체의 활동, 거액의 기부나 헌납 등 여러 경로의 전면적 활동을 통해 구축되었던 것으로 보인다. 그리고 일제는 이들에게 중추원참의와 같은 명예직이나 서훈, 표창, 포상 등으로 보상을 했다. 이들의 활동상황과 포상 내역은 다음과 같다.

〈표 4〉 광주 지역 한국인 유지 집단 친일 활동 및 포상[26]

성명	친일 활동(기구·단체 포함) 및 포상
김형옥	• 활동 : 동척 설립위원(1908), 전남 지방토지조사위원(1914~1918), 조선식산은행 상담역(1918), 국민협회 전남지부장(1920) • 포상 : 창평군수 재직(1910~1911) 때 은사금 1,000원, 한국병합기념장(1912), 교육공로자 표창(1923), 쇼와천황즉위기념대례기념장(1928)

25 〈표 3〉의 광주 지역 유지들 중, 창씨개명자는 총 8명으로, 이채순(大山采順), 송화식(大原和植), 정문모(鶴山文謀), 최준기(松山登光), 이득수(杉山德栽), 강제호(吉金乙貴), 김재규(鶴宮在珪), 김응모(金光膺模)이다.(자료출처:조선총독부(1940~1941),『목포광주부관계철(CJA0003550)』(「부회의원의성명변경에관한건」·「부회의원창씨개명의건」·「광주부부회의원의성명변경에관한보고」), 국가기록원).

26 자료출처:『친일인명사전(1-3)』;김윤정, 「조선총독부 중추원 연구」, 숙명여대 박사논문, 2009 참조.

성명	친일 활동(기구·단체 포함) 및 포상
김상순	• 활동 : 경시(1910~1911) • 포상 : 한국병합기념장(1912), 쇼와천황즉위기념대례기념장(1928)
현준호	• 활동 : 중추원참의(1930~1945), 조선유교회 명리원 의정(1932), 조선국방의회연합회 전남 부회장(1934), 광주보호관찰심사회 위원(1937~1945), 전남 군사후원연맹 부회장(1937), 국민정신총동원 전남연맹 이사장(1937), 전남특별지원병후원회 부회장(1938), 광주헌병대에 1,000원 헌납(1938), 시국대응전선사상보국연맹 광주지부장(1938), 국민정신총동원조선연맹 금제품 26점(2,000원 상당) 기부(1939), 중앙협화회의 평의원(1939), 조선유도연합회 상임이사(1939), 흥아보국단 상임위원(1941), 조선임전보국단 이사(1941), 임시특별지원병제 선전을 위한 전남 지역 파견(1943) • 포상 : 쇼와천황 즉위기념 대례기념장(1928), 조선나예방협회기금 1천 원 기부 褒狀下賜(1933), 시정25주년기념표창 은배1조(1935), 학산공보신축비 1,400원 기부 褒賞下賜(1937), 사회교화공적자표창(1938), 시정25주년박물관건설비 1천 원 기부 褒狀下賜(1940), 기원2600년축전기념장(1940)
이채순	• 활동 : 경부(~1933), 국민정신총동원 광주부연맹 이사(1938) • 포상 : 쇼와5년국세조사기념장(1932)
김신석	• 활동 : 조선신궁10주년기념 조선신궁봉찬회 설립 발기인 및 평의원(1933), 해군기 헌납식 및 명명식 전남대표(1938), 국민정신총동원조선연맹 전국순회강연반 충남 지역 담당(1938), 국민정신총동원조선연맹 평의원(1939), 중추원참의(1939~1945), 조선유도연합회 평의원(1939), 잡지 『내선일체』 광주지사 고문(1940), 국민총력조선연맹 이사(1941), 조선임전보국단 평의원(1941), 국민총력조선연맹 경제부 경제위원(1943), 징용정신 보급을 위한 강연대 평북 지역 담당(1944), 대화동맹 심의원(1945), 조선총독부 경제안정대책위원(1945) • 포상 : 기원2600년기념표창(1940)
송화식	• 활동 : 광주보호관찰소 촉탁보호사(1937~1938), 시국대응전선사상보국연맹 광주지부 간사(1938), 광주경방단 부단장(1939). 광주대화숙 이사(1941), 조선총독부(국방보안법 제29조 및 치안유지법 제29조) 변호사 지정(1941), 조선임전보국단 전남 지역 평의원(1941), 국민총력조선연맹 이사(1943~1944), 국민동원총진회 이사(1944) • 포상 : 시정30주년기념표창(1940), 기원2600년축전기념장(1940), 사법보호사업공로자표창(1943)
지정선	• 활동 : 조선유도연합회 참사(1939), 광주식량배급통제조합 부조합장(1939), 형 지창선과 함께 총 5만 5천 원 헌납(국방헌금 4만 원, 광주부 군사후원연맹비 5,000원, 광주신사 조영비 5,000원, 휼병가족 위문금 5,000원)(1940)

이들 외에도, 오헌창은 국민협회 평의원(1924), 유연상과 윤엽은 국민정신총동원 광주부연맹 이사(1938), 박계일은 광주보호관찰소 촉탁보호

사(1937~1939), 최당식은 배영동지회 이사(1939), 김희성은 식량배급통제조합 간사 및 광주경방단 서분부단장(1939)을 지냈다.

일제가 이들에게 준 보상은 훈·포상 및 명예직에 그치지 않았다. 더욱 큰 보상은 물론 경제적 특혜라 할 수 있다. 앞서 살핀 것처럼, 유지 집단 상당수가 기업을 경영하거나 회사의 중역이었음을 볼 때, 이들이 여타의 한국인들에 비해 각종 허가권이나 은행대출, 국고보조 등 여러 가지 혜택을 입는 데 상대적으로 수월했었으리라는 것은 충분히 추정할 수 있다.

이와 관련하여 대표적인 사례로 현준호를 들 수 있다. 현준호는 앞서 1920년대 면협의원 및 전남도평의원 등을 지내다가 1930년대에 들어서면, 중추원참의와 더불어 중앙으로 무대를 옮겨 각종 관변단체 활동을 하는 동시에 간척사업에 몰두한다. 영암군 미암면 춘동리·후포리 매립사업(1932~1933), 해남군 계곡리(1936~1938), 영암군 군서면 및 서호면(1940) 등이 그것인데, 이 사업들은 당시 통념상으로나 규제상으로나 얻기 어려운 각종 특혜들로 가득 차 있다. 1932년 매립사업은 원래의 면허 내용을 변경해 매립지역을 넓히고(87정보에서 100정보로), 총공사비의 46%를 총독부 토지개량사업 보조금을 통해 해결하고, 30% 이상의 비용은 동척으로부터 장기상환 및 저리로 대출하는 등 엄청난 특혜로 이루어진 것이었다. 1936년 공사도 총 공사비의 50%를 국고보조 지원을 받았으며, 1940년 영암군 간척사업은 총독부의 산미증산계획의 맥락에서 진행된 것이었다.[27] 이러한 특혜는 대지주이자 일제에 의해 '국사(國士)'로 칭송될 정도로 총독부에 협조적이었던 그의 부친(현기봉)의 힘, 역시 마찬가지로 '국사로서의 품격'을 갖고 있다고 평가받았던 현준호 본인의 친일

27 자세한 내용은, 박이준, 「현준호의 자본형성 과정과 친일행위」, 『한국근현대사연구』 40, 2007;오미일, 「일제시기 호남재벌 현준호의 학파농장과 자본축적 시스템」, 『한국민족문화』 35, 2009를 참조할 것.

祝皇紀二六〇〇年新春

長水
股栗郡公立小學校一同
大同社
光州
光州中等學校學校長會
光州稅務署職員一同
光州道立醫院職員一同
光州郵便局職員一同
光州刑務所職員一同
光州商工會議所
須江睦茂
外職員一同
光州俱樂部
全南產業株式會社
全羅南道漁業組合聯合會
橫山朝雄
光州醫師會
南朝鮮興業株式會社
內山重夫
金組聯合會全南支部
各金融組合
同所屬
各產業團體
正和精米所
洪容直
鄭泰憲
坂口喜助
南昌商會
劉演相
崔善鎭
池正宣
金興悅
崔泳旭
金容南外科醫院
孫鍾彩
孫佑彩
崔熼均
鄭純朝
全羅南道廳
高等官食堂員一同
商工奬勵館
光山郡廳員一同
光山產業組合職員一同
高光表
醫學博士 崔相彩
湖南銀行
光州金曜會
光州府尹 難波照治
外職員一同
朝鮮料理
明新清春天
月光雅木香
館園園庵園
南市

일본의 [황기2600년축하] 광고면에 실린 명단을 보면, 당시 광주 지역의 공공기관 및 단체들은 물론 광주번영회 회원들을 포함해 우리에게 익숙한 개인들의 명단을 확인할 수 있다. 일본 황실이나 총독정치 관련 기념일을 축하하는 이런 광고는 일제강점기 내내 빈번하게 게재되었다.〈자료출처 : 『매일신보』, 1940. 1. 4.(8면)〉

부역 활동이 뒷받침되지 않았다면 불가능했을 것들이었다.

그런데, 광주의 한국인 유지 집단 모두가 현준호처럼 중앙과 지역을 넘나들면서 총독부는 물론 일본인 유력자들과의 강력한 관계망을 갖고 있거나, 타의 추종을 불허할 만큼의 친일부역을 했다거나, 그에 준하는 각종 특혜를 입은 것은 아니었던 것 같다. 개인의 맥락마다 경중의 차이는 있겠지만, 현준호 수준의 정치·경제적 권력을 가진 자는 유지 집단 내에서도 5~10% 정도였을 것이고, 대다수 지역 유지들의 권력 수준 및 특혜 수혜 정도는 동일한 지역사회의 일본인 유지 집단에 비해 현저히 낮았을 가능성이 크다. 이는 당시 광주 지역 유지 집단의 한·일인 관계망을 살펴보면 잘 알 수 있는데, 그중에서도 일제강점의 핵심인 '식민경제'를 설명하는 지역 내 경제분야를 보면, 당시 한국인 유지 집단의 관계망과 그 힘이 반쪽짜리에 불과했음을 확인할 수 있다.

병합 이전부터 광주에 들어와 지역의 식민경제구조를 안착시켜가던 일본인들은 1910년대에 들어와 일본적십자사 광주지부 및 애국부인회 등과 같은 민간단체들, 그리고 광주금융조합과 같은 관변기구 등 몇몇 조직들을 통해 한국인들과 공적인 접점들을 만들어나간다. 이러한 공적 관계망은 1920년대 접어들면서 면협의회, 광주번영회 등과 같이 다변화되면서 훨씬 폭넓게 확장되었던 것으로 보인다. 하지만, 직접적이고 실질적인 이해관계가 작동했던 '광주상공회'는 1930년대 중반까지 한국인에게 절대 개방되지 않은 폐쇄성을 보여주고 있다.

광주상공회는 1913년에 창립한 단체로, 『광주지방사정』(63쪽)에는 "광주 유일의 상업 자문기관으로서 주요한 상업가들을 망라"한다고 소개되어 있다. 1917년 당시 회장(魚谷與藏)[28]을 비롯해 평의원 10명을 포함한 회원 51명이 모두 일본인으로 구성되어 있었다. 이들은 병합 전후로 들어와 잡화상, 과자점 등을 열어 생업을 이어나가던 소상인으로 출발했다가 점차 자본을 축적하면서 1920년대부터 대규모로 정계에 진출하는 한편, 기업들을 설립하면서 전형적인 산업자본가로 성장하는 과정을 거치게 된다. 병합 이전 '일본인회'의 주축이었으며, 병합 이후에는 '광주번영회'를 이끌어가는 주도세력으로, 종합하자면 광주 지역 일본인 유지 집단의 핵심그룹이었다고 할 수 있다. 일본인 중심의 광주상공회 구조는 한국인 상공인 조직과 합병되는 1936년까지 지속되는데, 이는 광주상공회 일본인들이 누리고 있었던 독점적 이해관계 때문이었다.

---

28 魚谷與藏은 군인 출신으로, 1911년 광주에 들어와 잡화상을 시작, 광주상공회 회장(1913), 광주면 상담역(1917), 광주금융조합 사장(1919~1945), 광주번영회 평의원(1922, 1936)을 지냈으며, 이외 일본인들이 설립한 기업의 중역과 대주주로 참여했었다.

상공회의 표면적인 업무는 상거래와 관련된 정보 교환, 상황과 상업통계의 조사 및 발표, 장기근속 종업원의 표창, 각지 상공단체와의 제휴를 통해 상공업의 발전에 기여한다는 것이었다. 그러나 실제로는 일본 본국의 대형 생산자로부터 상품을 싼값에 대량으로 공동구입하여 가격 경쟁에서 한국 상인들을 압도하고 상권을 장악하는 한편, 금융기관의 융자 특혜와 관공서, 학교 등 큰 수요처에 대한 대량 납품권을 독점하기 위해 만들어진 권익단체였다. 이 밖에도 그들은 일본인 교육기관의 유치나 그 경비의 조달 등을 위한 역할도 했다.[29] 이러한 수탈적 판매정책을 쓰는 것에 반발해 한국 상인들도 1929년 '광주실업청년구락부'를 결성해 일본 상인들에 대항하고자 했다.

한동안 한·일 상인들의 두 조직이 병존하다가 1936년 광주읍이 광주부로 승격하면서 광주상공회 측에서 두 단체를 통합할 것을 제의해 옴으로써 1936년 12월 '광주상공회의소'가 설립된다. 이때 광주상공회의소 초대 회장은 일본인(魚谷與藏, 광주상공회 회장)이고, 부회장은 한·일 2명(김희성·歌藤幾三郞), 상의원은 일본인 3명(宮崎榮喜·岡新一·角治三郞)과 한국인 2명(지창선·최한영)으로 구성된다. 하지만 광주상공회의소는 전시체제와 맞물리면서 일본 전략물자를 공급하는 데 급급했던 어용단체로 전락하고 만다.[30] 상공회의소의 이러한 성격은 당시 이 조직이 형식적으로는 한·일 상인들의 통합단체였지만, 실제로는 일본인 중심으로 운영될 수밖에 없었던 조건 때문이었던 것으로 보인다. 이는 상공회의소 의원으로 당선되었던 한국인과 일본인의 비율, 그리고 선거 점수(괄호 부분)를 보면 이해할 수 있다.

29 박선홍, 『광주 1백년(1)』, 광주문화재단, 2012, 240쪽.
30 광주직할시사편찬위원회, 앞의 책, 360~361쪽 참조.

- 한국인(6명) : 지창선(43)·심상엽(41)·유연상(36)·김희성(35)·이채순(34)·최한영(30)
- 일본인(12명) : 相馬與作(73)·岡新一(67)·宮崎榮喜(65)·魚谷與藏(63)·谷川捨次郎(57)·角治三郎(57)·歌藤幾三郎(57)·江木敬一(50)·境野角藏(49)·內山重夫(46)·광주주조주식회사(51, 사장:宋田德次郎)·朝倉重次郎(45)[31]

선거는 1937년 3월 11일 광주소학교 강당에서 치러졌는데, 총 18명의 의원 중 일본인이 12명이었던데 반해 한국인은 그 절반인 6명에 불과하며, 획득한 점수 또한 한국인들이 모두 하위권에 몰려 있음을 볼 수 있다. 이런 조건들을 고려할 때, 의욕적으로 통합은 했지만 그 후 한국인들의 운영 개입은 쉽지 않았을 것이며, 상공회의소가 일본인들의 입맛대로 자신들의 이권 및 전시체제에 복무하는 방향으로 흘러가는 것에 대해 속수무책이었을 것이다. 혹은 반대로 암묵적 묵인을 감행했을 수도 있다. 최한영을 제외한 나머지 한국인 5명은 광주번영회와 광주부회 의원들로서 일본인 유지들과의 관계망 안에 있었으며, 전시체제로 들어서면서부터 친일단체에 이름을 올리고 활동 중이었기 때문이다.[32]

이렇듯 지방의회와 광주번영회를 비롯해 다양한 단체, 위원회 등 다양한 경로들에서 일본인들은 한국인들과의 접점들을 허용하고 있지만, '광주상공회'나 '광주상공회의소' 사례에서 볼 수 있는 바와 같이 그들의 이해관계에 직결된 부분에서만큼은 강력한 카르텔이 존재했음을 알 수 있다.

31 「광주상의 당선자 영광의 18씨 결정」, 『매일신보』, 1937. 3. 22.

32 유연상·김희성·이채순은 광주번영회(1936) 회원이자, 유연상·이채순은 광주부회(1935, 1939) 의원들이었으며, 유연상·심상엽·이채순·지창선은 '국민정신총동맹 광주부연맹'(1938) 이사들로 활동한다.

그런데 다른 한편으로 일본인 유지 집단의 이러한 성격은, 당시 한국인 유지들이 챙겼을 이권이 상당히 제한적일 수밖에 없었으리라는 것을 역으로 설명해준다. 한국인 유력자들은 여러 조건들(재력, 학력, 당국 신용, 사회 인망)을 토대로 일본인 유지 집단과의 관계망과 더불어 신흥 유지로서 지역사회에 자리를 잡아나갔지만, 다른 한편으로는 대지주 출신으로 현준호처럼 막강한 힘을 가진 최고층의 소수 유지들을 제외하면 유지 집단 상당수는 반쪽짜리 관계망에 기대면서 제한된 이권과 특혜를 누렸던 것으로 보인다.

4. 해석과 평가를 위한 2가지 전제

지금까지 일제강점기 광주 지역에서 새롭게 부상한 지역 유지 집단의 형성 과정과 성격, 유지 활동, 일제에의 부역 및 보상 형태 등을 살펴보았다. 병합을 전후로 한 초기에는 대지주나 한말관료 출신 등 지역 명망가들이 관변기구를 통해 호명되어 나오다가, 1920년대 들어서면서부터 신진 유지 집단이 새롭게 부상한다. 이들은 기본적인 '재력'과 '학력'(일본 유학을 포함한 근대고등교육 출신자들)을 토대로, 지방의회(광주면협의회·읍회·부회 등)를 통한 정계 입문 및 광주번영회를 기반으로 일본인 유지 집단과의 관계망과 '[일제] 당국의 신용'을 획득해나가면서 지역 유지로 성장한다. 그리고 다양한 유지 활동(자선 및 기부, 지역민원 해결 등)을 해나가면서 '사회 인망'을 확보한다. 이 과정에서 때로는 일본인 유지들과 협력하기도 하고, 때로는 한국인들의 이해를 관철시키기 위해 일본인들과 투쟁하기도 했다. 하지만 이외에도 상당수 유지들은 자신의 이권을 챙기기 위해서든 권력과 재산을 지키기 위해서든, 친일부역 행위에 몸 담았으며,

이에 대한 보상을 챙긴 것도 분명하다. 특히 이런 행위는 일제 말 전시체제에 들어서면서 훨씬 강화되는 양상을 보여준다.

일제강점기 한국인 지역 유지 집단이 형성되고 활동하는 과정은, 우리가 그 집단에 대한 평가와 해석을 시도할 때 2가지 측면에서 고려되어야 할 사안이 있음을 말해준다. '민족'과 '친일' 사이에 걸려 있는 그들의 활동에 대해 어떻게 이해해야 할 것인가, 그리고 일본인 유지 집단과의 공고한 결속력이 어느 수준까지 가능했겠는가 하는 점이 그것이다. 두 가지 사안을 설명하는 것으로 이 글을 마치고자 한다.

먼저 첫 번째 사안과 관련해, 사실 일제강점기 지역 유지들에 대한 역사적 평가나 판단은 그리 쉽지 않은 것이 사실이다. 그 시기의 정치적 특수성 때문에 만들어진 복합적 성격을 이 집단이 갖고 있기 때문이다. 일제 당국의 측면에서 한국인 유지 집단은 당국과 한국인들의 매개장치라는 점에서, 한국인들의 저항을 순화시키고 식민통치를 원활하게 하기 위해서는 반드시 필요한 존재였다. 일본인 유지들 입장[자신들이 지배자이면서도 동시에 한국인들과 똑같이 총독부의 통치 대상이라는 점에서]에서는, 정치경제적 이해를 얻어내기 위해 불가피하게 결탁해야 할 상대가 한국인 유지 집단이었다.[33] 한국인 유지들은 그들이 어떤 동기를 갖고 있든 상관없이 지역 유지로서 위치가 정립되는 순간, 지역사회 한국인들의 입장과

33 기유정은 당시 재한일본인들에 대해 식민지 지배자이면서 동시에 1914년 '부제(府制)' 실시 이후 해당 지역 한국인들과 동일한 행정지배를 받는 부민(府民)의 하나라는 이중적인 위치를 차지하고 있었다고 설명한다. 이들의 이러한 이중적 지위는 당시 지역에서 일본인에 의한 한국인의 지배라는 단순한 이분법적 대립구도로는 모두 포괄될 수 없는 복잡한 관계를 만들어내는데, 한국인들과의 갈등과 협력이 그것이다. 한국 내에서는 '내지인'으로, 일본에서는 '외지인'이면서 식민공간에서 행정적으로 같은 법적 지배 아래 놓여 있어야 했던 이들의 존재 조건은 이들의 '지배자'로서의 정치 경제적 노력이 조선인들의 이해관계와 무관하게 진행될 수 없는 것이었음을 보여준다. 그리고 이는 당시 한국인과 일본인 유지들 간의 각 민족의 이익을 대변한 협력과 갈등의 착종을 가능케 한 조건이 되었다(기유정, 「1920년 경성의 '유지정치'와 경성부협의회」, 『서울학연구』 28, 2007, 19~20쪽).

이해를 대변해야 할 의무를 갖게 되었으며 때로는 일본인들과 투쟁도 불사했다.

이렇게 한편으로는 민족의 이해를 대변하는 자이면서, 다른 한편으로는 친일부역행위에 직간접적으로 걸려 있는 자들이 당시 유지 집단이었다. 유지 집단이 가지고 있는 이 두 가지 성격은 구분되어 있는 것이 아니라, 서로 맞물려 있는 것이었다. 부역행위의 강도가 높을수록 '당국의 신용' 또한 비례해서 강화되었으며, 그만큼 유지로서의 입지도 강해질 수 있었다. 입지가 강해지면 특혜를 받을 기회도 높아졌을 뿐 아니라, 한국인들의 이해를 대변하는 힘도 강해졌다. 민족과 친일 사이, '사회 인망'과 '당국의 신용' 사이, 정확히 말해 이 중층성의 경계에 서 있는 자들이 당시 한국인 유지 집단이었다. 일제강점기 한국인 유지 집단에 대해서는 바로 이와 같은 중층적 성격을 이해할 때, 단선적 평가를 피할 수 있게 될 것 같다.[34]

두 번째, 일제강점기 한국인 유지들의 성장 과정은 다양한 층위에서 일본인 유지들과의 관계망을 토대로 이루어지고 있음을 볼 수 있었다. 하지만, 식민경제구조의 첨병으로서 각 지역에서 저인망식 착취경제를 일상적 차원에서 실현시키고 있었던 자들은 일본인 유지 집단이었다. 이들은 식민도시를 만들어나가는 과정에서 대규모 개발사업에 개입, 이권을 챙겼을 뿐만 아니라 토지 및 금융 투자를 통해 엄청난 부를 축적하면서 식민자본가로 성장해나간 자들이다. 그들의 정계 입문 동기는 단순한 권력 추구가

34 이 난감한 문제에 대해 지수걸은, '사회인망'과 '당국신용'은 서로 배치되는 것이 아니라 상호보완적 성격을 갖고 있었다고 말한다. 민족운동 관점에서 일제하의 지방정치사를 구성하게 되면 '당국 신용자=친일', '사회 인망자=애국'이라는 등식이 성립되는데, 당시 지역에서 전개된 다양한 '정치적 사건'들과 성격의 의미를 제대로 이해하기 위해서는 시기나 지역에 따라 차이는 있지만 양자가 상호보완적 기능을 수행하기도 했다는 점을 고려하는 것이 중요하다고 말하고 있다. 즉 '사회 인망'과 '당국 신용'은 상호 모순되는 유지기반이 아니라, 오히려 상호보완적 기능을 수행했던 유지기반이자 정치적 자원이었다는 것이다(지수걸, 앞의 논문, 57~58쪽.).

아니라, 직접적으로 얻어지는 이권 때문이었다. 따라서 앞서 살핀 바와 같이, 광주번영회나 지방의회, 위원회, 관변단체 등 여타의 경로들에 대해서는 한국인과의 관계망을 어쩔 수 없이 받아들였지만, '광주상공회'와 '광주상공회의소'와 같은 직접적 이해가 걸린 분야에서는 온전히 일본인 중심의 폐쇄성을 유지했다. 한국인 유지들과 일본인 유지들 간의 결속력이 특정 분야에서는 전혀 작동하지 않았다는 것을 보여주는 이 사례는, 막강한 힘을 가진 아주 최상층의 한국인 유지들을 제외하곤 대다수 유지들의 관계망이 반쪽짜리에 불과할 만큼 허술한 것이었고, 그들이 받은 특혜 또한 일본인들과는 비교될 수 없을 만큼 제한적이었다는 사실을 말해준다. 따라서 우리가 한국인 유지 집단의 이권과 특혜에 대해 접근할 때, 유지 집단 전체를 한 덩어리로 묶어 판단하는 것이 아니라, 여러 층위가 복합적으로 얽혀 있음을 읽어야 할 필요가 있다.

참고문헌

1. 기초자료

『대한민국건국십년지대한연감』, 『대한민국인사록』, 『목포광주부관계철(CJA0003550)』(조선총독부, 1940~1941), 『반민특위조사기록(피의자신문조서, 1949-05-26)』, 『조선공로자명감』, 『조선은행회사조합요록』, 『조선인사흥신록』, 『조선총독부 관보』, 『조선총독부 및 소속관서 직원록』, 『동아일보』, 『매일신보』, 『조선일보』

2. 논문 및 단행본

광주민속박물관, 『일제강점기 광주문헌집』, 2004.

광주직할시사편찬위원회, 『광주시사(제2권)』, 1993.

기유정, 「1920년 경성의 '유지정치'와 경성부협의회」, 『서울학연구』 28, 2007.

김윤정, 「조선총독부 중추원 연구」, 숙명여대 박사논문, 2009.

동선희, 『식민권력과 조선인 지역유력자』, 선인, 2011.

민족문제연구소, 『친일인명사전(1-3)』, 2009.

박선홍, 『광주 1백년(1)』, 광주문화재단, 2012.

박이준, 「현준호의 자본형성 과정과 친일행위」, 『한국근현대사연구』 40, 2007.

오미일, 「일제시기 호남재벌 현준호의 학파농장과 자본축적 시스템」, 『한국민족문화』 35, 2009.

윤현석, 「일제강점기 빈민 주거 문제에 있어서 광주의 조선인 지도층 대처에 관한 연구」, 『도시연구』 22. 2019.

이동언, 「일제하 조선금융조합의 설립과 성격」, 『한국독립운동사연구』 6, 1992.

이용철, 「일제강점기 민영은의 유지정치와 식민권력의 청주지역 침투」, 『한국독립운동사연구』 50, 2015.

정근식 외, 『근현대의 형성과 지역 엘리트』, 새길, 1995.
정병욱, 「농공은행·조선식산은행의 운영주체와 조선인 참여자의 지위」, 『민족문화연구』 38, 2003.
지수걸, 「일제하 충남 서산군의 '관료-유지 지배체제'」, 『역사문제연구』 3, 1998.
______, 『한국의 근대와 공주사람들(한말일제시기 공주의 근대도시발달사)』, 공주문화원, 1999.
한국농촌경제연구원, 『농지개혁시 피분배지주 및 일제하 대지주 명부』, 1985.
한지헌, 「1906~1910 통감부 이사청 연구」, 숙명여대 박사논문, 2016.

제2부

제3장

광주읍 천정(泉町)의 궁민가옥 철거사건

1. 궁세민(窮細民)과 불량주택

일제강점기 도시빈민의 형성은 식민지 농업정책으로 인한 농촌의 경제적 파탄과 직접 관련된다.[1] 1910년대의 '토지조사사업', 1920년대의 '산미증식계획'이 실시된 결과, 지주 중심의 토지 집중이 강화되면서 직접 생산자인 농민 대부분이 토지를 잃고 소작농이나 농업노동자로 전락했다. 특히

1 김경일은 일제강점기 도시빈민층의 형성과 관련하여 농촌인구의 이농현상에만 집중하는 기존의 견해를 비판하며, 도시빈민이 형성되는 과정을 두 가지 경로로 설명하고 있다. 첫째, 도시에서의 근대적 산업 발전의 결과 도시민이 몰락하여 빈민층이 된 경로, 둘째, 자본주의 진전과 농민층 분해가 진행된 결과 농촌의 이농민이 도시빈민층이 되는 경로이다(김경일, 「20세기 전반기 도시 빈민층의 형성」, 『한국 근대 노동사와 노동운동』, 문학과지성사, 2004, 25쪽.). 그러나 1910~1920년대에 걸친 식민지 농업정책의 결과, 일정 기간 소작농이나 농업노동자로 생활하다가 더 이상 버틸 수가 없어 대대적으로 도시나 해외로의 인구이동이 1925년 중반에서 1935년 중반 사이에 일어난 것을 고려할 때, 도시빈민의 형성과 직접 관련된 것은 결국 농업정책의 문제였음을 알 수 있다. 실제로 이 당시 이농인구는 88만 8천여 명이었으며, 그 가운데 일본이나 만주로 이동한 인구가 61만 1천 명, 국내 도시로 이동한 인구는 27만 7천 명이었다. 도시빈민층이 급증한 시기도 이 시기와 일치한다(이농인구와 관련해서는 곽건홍, 「일제하의 빈민:토막민·화전민」, 『역사비평』 46, 1999, 164쪽 참조.).

1929년 세계대공황의 여파는 농민생활을 더욱 악화시켜 1930년대 초에는 춘궁기에 생활이 궁핍한 농가가 전국 총 농가의 44%에 이를 정도였다.[2] 농민층의 빈민화는 결국 이들이 새로운 노동시장을 찾아 도시나 일본, 만주 지역으로 이동하는 현상을 만들어내게 된다. 도시로 유입된 이들은 곧바로 도시 빈민층으로 흡수되거나 혹은 일정 기간 도시생활을 버텨내다가 점차 궁핍에 쫓기게 되면서 도시 빈민층으로 전락하는 경로를 밟는다.

당시 총독부에서는 조선 내의 빈민의 실태를 조사하였는데, 거주의 상태, 세대의 구성, 직업의 종류 등을 기준으로 세민(細民), 궁민(窮民), 걸식(乞食) 등 3가지 종류로 빈민을 구분하고 있다. '세민'은 생활상 궁박(窮迫)을 고하는 상태에 있어도 반드시 타인의 구호를 받아야 할 정도에는 이르지 않아 다행히 생계를 영위할 수 있는 자이며, '궁민'은 생활상 궁박을 고하여 긴급히 하등의 구제를 요하는 상태에 있는 자를 말한다. '걸식'은 여러 곳을 부랑배회하여 자기 및 그 가족을 위해 모르는 사람에게 빈곤을 호소하여 상업(常業)적으로 구조를 비는 사람을 말한다.[3] 이중 걸인(걸식)들은 일정한 거주지를 정하지 않은 채 도시를 배회하지만, 이른바 '궁세민(窮細民)'들은 대부분 도시 외곽의 공유지나 민유지의 공지(空地)에 '토막(土幕)'이나 '불량주택'[4]을 짓고 집단거주부락을 형성하게 된다.

---

2 곽건홍, 상동.

3 善生永助, 「朝鮮に於ける貧富考察」, 『朝鮮』 153, 1928, 63쪽(서일수, 「1930년대 전반 궁민구제토목사업의 대도시 사례와 성격:경성·부산·평양을 중심으로」, 중앙대 석사논문, 2010, 12쪽에서 재인용.).

4 1944년에 출판된 잡지 『조선과 건축』(조선건축학회, 「土幕民の生活環境と衛生狀況」 22-3)에서 "토막이란 국유지 또는 민유지를 무단 점거하고 지면을 파서 그 단면을 벽으로 삼거나 혹은 땅 위에 기둥을 세우고 거적 등을 드리워서 벽으로 삼고 헌 양철이나 판자로 간단한 지붕을 만든 원시적 주택"이며, 불량주택은 "토막을 개조 또는 보수한 것으로 어느 정도 가옥의 형태를 갖추었지만 위생상 유해하거나 또는 보안상 위험하다고 인정되는 조악한 주택"으로 규정하고 있다(강만길, 『일제시대 빈민생활사 연구』, 창작사, 1987, 238쪽에서 재인용).

'토막'이나 '불량주택' 들은 남의 땅을 무단 점거한 불법건축물이었던 데다가 그 이름에서 알 수 있는 것처럼 도시미관상으로 문제가 제기되면서, 1920년대 후반부터 부분적으로 철거 대상이 되다가, 1930년대에 접어들면서는 전국 각지에서 대대적인 철거 작업이 이루어지게 된다. 문제는 이 과정에서 이들에 대한 어떤 대책도 없이 무작정 철거가 이루어졌다는 것이다. 대체 이주지나 이전료를 한 푼도 받지 못한 채, 이들은 노천에 방치될 수밖에 없었으며, 이 때문에 각 지역에서 철거민들의 집단 항의나 지역사회의 구제운동이 일어나게 된다.

일제강점기 당시 광주 또한 마찬가지로 1920년대 중후반부터, 도시빈민들이 시내 외곽에 있는 공유지를 중심으로 토막이나 불량건축물을 짓기 시작해 1930년대 초반이 되면 집단거주부락의 양상을 띠게 된다. 1932년 당시 광주읍 내에는 천정(泉町), 누문정(樓門町), 임정(林町), 금정(錦町), 양림정(楊林町), 호남정(湖南町) 등에 빈민부락이 집중적으로 형성되어 있었으며, 그 수효만 해도 1,200여 호에 6천여 명의 빈민들이 살고 있었다. 이는 당시 광주읍 인구의 1/6에 육박하는 엄청난 숫자였다.[5] 광주에서 이들에서 대한 집단 철거가 처음 실시된 것은 1932년으로, 그 대상지는 '천정' 일대의 빈민촌이었다.

이 글은 1932년 당시 광주읍 천정(泉町) 일대에 형성되어 있던 빈민들의 집단거주부락 철거와 관련된, '천정 일대 궁민가옥 철훼'[6] 사건을 재구성[7]해 보는 것을 목적으로 한다. 이 철거 사건은 1932년 7월 말에 시작, 지

5 「1년간 증가, 2천8백여」, 『동아일보』, 1932. 8. 31.

6 당시 광주읍 천정 일대 빈민부락 철거 사건은 '천정 일대 궁민가옥 철훼' 사건으로 불리고 있었는데, 여기서 '궁민'은 사건 초기에 '빈민'으로, '가옥'은 '빈민굴'로 불리다가, 천정 빈민부락 철거 사건에 대한 대책을 마련하기 위해 지역 유지들을 중심으로 '광주읍가옥철거구궁민구제연구회'가 조직되면서, '궁민가옥'이라는 명칭으로 정리된다.

역 유지들을 중심으로 대책을 마련하기 위해 조직된 '광주읍가옥철거구궁민구제연구회'와 읍당국과의 교섭과정, 같은 해 12월 빈민들이 임정(林町)에 집단이주지를 마련해 이주하기까지 4개월에 걸쳐 진행된 사건이다. 이 사건을 재구성해봄으로써 일제강점기 행정당국의 빈민대책이 어느 정도 허술했는지가 드러나게 될 것이다. 비록 이 사건은 '궁민구제연구회'의 가열한 교섭 노력에도 불구, 구제연구회에 의한 '임시 이주지 마련'이라는 결과로 끝나고 말지만, 이후 이 사건에 대한 광주의 경험은 1936년에 다시 지역사회에 제기된 양림정, 금정 일대의 빈민부락 집단이주와 관련하여 국내 최초의 집단이주계획('학강정 갱생이주'사업)을 이끌어내는 단초를 마련하게 된다.

따라서 이 글에서는 천정 일대의 '궁민가옥 철거' 사건을 중심으로, '학강정 갱생이주'사업, 도시빈민의 형성 조건이었던 광주의 대도시화와 인구유입 과정, 그리고 천정을 포함한 광주읍 내의 빈민부락 철거와 직접 맞물려 있는 '대광주건설'이라는 광주읍 도시계획의 전말을 동시에 살펴보기로 한다.[8]

7 당시 중앙일간지들에서는 전국에서 벌어지고 있던 빈민부락 철거 사건을 기사화 하고 있었는데, 대부분은 사건의 결과만을 보도하는 데 그치고 있으며, 광주읍의 천정 일대 궁민가옥 철거 사건 또한 마찬가지 방식으로 다루고 있었다. 그런데 흥미롭게도 『동아일보』만큼은 광주읍의 철거 사건이 일어난 직후, 근 4개월에 걸쳐 34개의 기사를 내보내고 있다. 특히 이 기사들 중 32개가 8월초부터 9월말까지 집중되고 있는 것을 보면, 거의 실시간으로 보도하고 있다고 해도 과언이 아닐 정도로, 천정 궁민가옥 철거 사건에 대한 『동아일보』의 관심은 당시로선 유례가 없는 일이었다. 따라서 이 글에서 철거사건 내용의 상당부분은 『동아일보』의 기사를 중심으로 재구성될 것이며, 필요에 따라 다른 일간지를 참조하기로 한다.

8 일제강점기 광주의 빈민부락에 대한 연구로는 박해광의 「일제강점기 광주의 근대적 공간변형」(『호남문화연구』 44, 2009)이 있다. 이 논문은 광주가 근대적 공간으로 변모해나가는 전반적인 과정을 추적하고 있는 것으로, 여기서는 빈민들의 생활상, 빈민부락이 형성된 과정이 부분적으로만 다루어지고 있다. 현재로서는 근대기 광주 빈민과 빈민부락에 대한 본격적인 연구가 거의 없는 상황이다.

2. 광주읍 '궁민'의 형성과 '대광주건설계획'

광주가 근대적 도시 면모를 갖추기 시작한 것은 1917년 '지정면(指定面)'이 된 후, 시가지가 발달하고 인구의 유입이 지속적으로 증가하면서부터였다. 특히 광주의 인구가 급속하게 팽창한 것은 1920년부터 1930년대 중반기까지라 할 수 있다. 이 시기는 광주가 행정중심이자 상공업 중심지로서의 도시화가 본격적으로 진행된 때이기도 하다. 일제강점기 광주의 인구변화를 보면 다음 표와 같다.

〈표 1〉 일제강점기 광주 인구의 변화[9]

구분	세대	인구	인구증가율	비고
1910	2,881	12,256		시가지
1915	2,226	10,575	−14.3	광주면
1920	3,202	15,507	46.6	광주면(지정면)
1925	4,956	23,734	53.1	
1930	6,580	33,023	39.1	(*1931 광주읍)
1935	10,852	54,607	66.7	광주부
1940	12,725	64,520	18.2	
1945	16,366	82,431	27.3	

위의 표에서처럼 1920년대 전반기 5년간 53%를 상회하는 높은 인구증가율을 보이고 있으며, 1935년에는 무려 67% 가까이 증가하고 있는 것을 볼 수 있다. 10년간 이렇게 큰 증가폭을 보이는 이유로는 우선 도시 규모의 확장과 관련이 있다. 당시 광주는 1923년, 1935년 두 번에 걸쳐 행정구역을 확장하게 되는데,[10] 이때 더불어 자연스럽게 인구의 증가 또한 뒤따르게 되었던 것이다. 1930년 당시 광주면의 인구가 3만 명을 돌파함에 따

9 자료: 총독부 통계연보 및 연도별 국세조사 결과(광주직할시사편찬위원회, 『광주시사』(제2권), 1993, 263쪽의 표를 재구성함.)

라 1931년 읍(邑)으로 승격되고, 1935년에는 부(府)로 승격된다. 물론 여기에는 출생에 따른 자연증가와 함께 일본인을 포함한 외국인들의 유입도 한몫하고 있다.[11]

행정구역 확장, 출생, 외국인의 유입과 더불어 10년간의 인구 증가폭을 높이고 있는 또 다른 원인으로 광주면(읍/부) 주변의 전남 농민들의 유입을 생각할 수 있다. 전남 지역 농민들의 광주 유입에 관해 정확한 자료는 파악할 수 없으나, 전국적으로 농촌 빈민들의 대대적인 이농이 있었던 1920년대 중반부터 1930년대 중반 사이의 전남 빈농 인구수로 어느 정도 예측할 수 있다. 1925년 9월자로 파악된 전남 궁농(窮農) 호수는 27,533호로, 전국에서 가장 많은 호수를 기록하고 있다. 또한 1933년 3월 말 전남 지역 세궁민조사에서 한국인 세민은 121,386호(556,294명), 궁민은 68,678호(301,238명), 걸인 15,141명으로 나타나고 있다.[12] 이들 중 상당수의 농민들이 대도시나 해외로 이동했을 것이며, 그들 중 일부는 인근 도시였던 광주로 유입됐으리라는 것은 충분히 예상할 수 있다.

이런 상태의 경제적 조건을 갖고 도시로 이동한 이들이 평범한 도시생활을 했었을 리는 만무하다. 대부분 이들은 도시빈민층으로 바로 흡수되

---

10 1923년 제1차 확장으로 효천면(교사리 일부, 양림리 일부), 지한면(홍림리 일부), 서방면(동계리 일부, 신안리 일부)가 편입되며, 1935년 제2차 확장으로 서방면(장호리, 동계리, 풍향리의 일부), 지한면(홍림리의 일부), 효천면(방림리, 벽도리의 일부, 주월리의 일부), 극락면(신풍리의 일부, 내방리의 일부, 운암리의 일부)이 편입된다. 행정구역의 확장으로 인해, 1912년 광주 면적은 약 2㎢에 불과했던 데에서, 1923년에는 4.5㎢, 1935년에는 19㎢가 되면서 오늘날의 시가지 밀집지와 거의 일치하게 되었다(광주직할시, 『광주도시계획연혁』, 1992, 47~48쪽, 73쪽.).

11 특히 1910년대 전반기부터 일본인들의 광주 유입이 증가하고 있는데, 한일병합 이전인 1906년에는 116명이었던 것이 1912년 12월 현재 1,925명, 1927년에는 4,591명, 1930년 말에는 6,199명으로 늘어나게 된다[광주거주 일본인 및 외국인의 유입과 관련해서는 광주직할시사료편찬위원회, 앞의 책 '사회-인구'편(제4장);광주민속박물관, 『일제강점기 광주문헌집』(『전남지방사정지-광주의 부』(1930), 『광주요람』(1931)의 '인구'편)을 참조].

12 강만길, 앞의 책, 70, 77쪽.

었을 것이며, 재산이 없어 거주할 곳을 구하지 못해 광주 외곽에 있는 유휴지로 몰려들었을 것이다. 실제로 1920년대 후반부터 광주천을 중심으로 빈민 곧 궁민들의 집단거주지가 형성되기 시작했다. 광주의 '궁민'들은 주로 광주천 주변의 하천부지에 집중적으로 집단거주지를 형성한 것이 특징이라 할 수 있다. 이렇게 하천부지에 거주지를 형성했던 데에는 1920년대부터 1930년대에 걸쳐 진행된 광주의 도시계획과 직접 관련이 있다.[13]

1919년 3·1운동 이후, 1920년대 조선총독부는 문화정치를 표방하면서 '지방자치제의 실시'를 위한 지방관제의 개혁을 단행하기에 이르는데, 그 일환으로 광주에서도 1920년 10월 20일 면협의회 회원 선거가 치러지게 된다. 이 선거전에서 가장 큰 이슈로 등장한 것이 '대광주건설'이었다. 이 분위기는 그대로 이듬해로 이어져 1921년 초, 당시의 광주군수 창품익태랑(倉品益太郞)은 광주면장 길촌궤일(吉村軌一)과 함께 '대광주건설계획'을 제창하게 된다. 이 계획은 1925년 광주면에서 수립한 '하수도건 설치', '하천개수' 및 '시장정비' 등 소위 '시가미화정화'를 위한 "면3대계획"의 모체를 이루게 된다. '대광주건설계획'을 주창했던 창품익태랑이 1925년 1월에 광주면장으로 부임하면서, "본 면의 광주천 개수공사 및 하수구 신설공사는 시가지 계획상의 기준으로 보아 또한 장차 위생설비로서 모두 긴급시설될 필요 있다"는 내용으로 국고보조를 신청, '시가미화정화 면3대계획'의 발판을 마련한다.

이 중 '하천정비사업'은 현 사직공원 앞 철부 '금교' 부근에서 현 양동시장 부근까지의 광주천 폭을 좁혀 직선화하고 천변도로를 개설하며 이에

13 광주의 도시계획과 관련한 뒤의 기술 내용은 『광주시사』(제2권) 중 '제3장 건설'편(173~261쪽, 전남대 김광우 교수 집필)을 참조, 요약 정리한 것이다.

따라 매몰될 하천용지 및 토지를 매립하고 새로 구획하여 시장, 상가, 공장, 운동장 등 시설용지 및 일반대지로서 분양하려는 광주 최초의 (신)시가지개발사업이었다. 이를 위해 광주면은 기채하여 공비에 충당하였고 총독부로부터 하천용지를 무상양도 받아 재정적인 기초로 삼았다. 이 사업은 1926년부터 1928년까지 3년에 걸쳐 진행되었으며, 공사구간은 '금교'에서 '누문천' 유출구까지 좌·우안 모두 합쳐 3,000m에 이를 만큼 방대한 규모였다. 이로써 직강화 공사가 끝난 광주천 주변은 주택지와 여러 가지 시설이 입주할 넓은 택지가 생기게 된다. 바로 이 택지에 1920년대 후반부터 '궁민'들이 모여들기 시작한 것이다.

3. 천정(泉町) 궁민가옥 철거와 '구제연구회'

구제연구회의 활동 과정

애초에 이 하천부지에 대한 광주읍의 계획은 상가나 운동장 같은 공영시설 이외에도 200평에서 300평씩 민간에게 불하하여 '이상적 주택지'를 건설하려는 것이었다. 동시에 주택지를 매각한 비용은 하천정리를 하면서 쓴 부채를 상환해나갈 작정이었다. 당시 하천용지만을 총독부로부터 무상양도 받았을 뿐, 공사비용은 전적으로 광주면이 부담한 상황이었기 때문이다. 따라서 공사가 완료된 이듬해인 1929년 4월 21일에 면청(面廳)에서 민간 불하를 위한 경쟁입찰에 들어가게 되는데[14], 이 부지를 불하해 가던 과정 중, 점차 시일이 흐르면서 불하되지 않은 천정(泉町, 현 양동) 일대로 궁민들이 모여들기 시작했다. 이들은 1원 내지 5원 가량의 돈을 들여

14 「광주하천부지 민간에 불하」, 『동아일보』, 1929.4.12.

이 부지에 토막을 지어 살기 시작했고, 3~4년이 흐르는 동안 그 수효는 약 240여 호에 달하게 된다.

법적인 측면에서 보자면, 이 부지는 광주읍의 소유지였기 때문에, 당연히 광주읍 입장에서는 궁민들이 불법적으로 점유하고 있는 것으로 판단, 이들에게 1931년 말부터 수십 차례에 걸쳐 가옥을 철거할 것으로 명령한다. 그러나 전 재산을 털어 지은 토막을 떠나갈 데가 없었던 궁민들은 읍 당국의 독촉을 받으면서도 그대로 버틸 수밖에 없었다. 결국 1932년 7월 말에, 광주읍에서는 10여 명의 인부를 데리고 와, 가옥 200여 채를 강제로 철거시켜버린다. 이때 쫓겨난 궁민이 800여 명에 달했으며, 그중 일부는 다른 곳으로 떠났으나, 대다수는 어쩔 수 없이 집이 뜯긴 그 자리에서 흩어진 세간만 겨우 모아놓은 채, 노숙생활을 시작하게 된다. 이때까지 이들에 대한 광주읍의 대책이 전무했음은 물론이다.

이 사건이 신문지상에 최초 보도된 것은 8월 8일이었다. 『동아일보』 3면에 2꼭지의 기사(「이백여호의 빈민굴 광주읍에서 강제 철훼」, 「불하주택지에 빈민들이 建家」)를 통해 사건이 지역사회에 알려지자, 1932년 8월 13일 대책 마련을 위해 한국인 지역 유지 30여 명이 황금정에 있던 서석병원에 모이게 된다. 이 회합은 최흥종 목사[15]의 사회로 개회되어, 김재천이 회합의 취지를 설명, 고재섭이 그동안의 경과에 대한 보고를 한 후, 장시간에 걸쳐(오후 8시~11시 30분까지) 향후 대책을 논의한다. 회합의 결론은 '광주읍가옥철거구 궁민구제연구회'(이하 '구제연구회')를 조직해, 현

---

15 이 회합의 사회를 최흥종 목사가 한 것으로 보아, 천정 궁민 문제를 지역사회에 제기하고 유지들의 뜻을 모은 것도 최흥종이 주도했던 것으로 보인다. 당시 최흥종 목사는 1931년에 시작된 '조선나병환자근절연구회'(조선나병환자구제회 산하) 활동을 끝내고, 1932년 여수 애양원에서 나환자들을 돌보고 있을 때였다[최흥종 목사에 대해서는 한규무의 「오방 최흥종의 생애와 민족운동」(『한국독립운동사연구』 39, 2011)과 「오방 최흥종의 신앙노선과 선교활동」(『한국기독교와 역사』 48, 2018)을 참조.].

장조사 실시와 더불어 읍 당국에 대책을 요구하자는 것이었다.

> 이 소식을 들은 광주 시내의 각 방면 유지 30여 명이 지난 13일 오후 9시부터 황금정 서석의원에 회합하여 최흥종 씨 사회로 개회하고 김재천 씨로부터 취지 설명, 고재섭 씨로부터 사실 보고가 있은 후, 그 대책 강구로 장시간 분분한 논의를 하였다. 광주읍 가옥 철거구 궁민구제연구회를 조직하기로 만장 일치되어 즉석에서 좌기 부서에 위원을 정하고 동 11시 반에 산회하였다고 한다.
>
> –「광주읍 가옥 철거구 궁민구제회 조직」, 『동아일보』, 1932. 8. 16.

이 회의에서 고재섭이 그동안의 경과에 대한 보고를 했다는 것은, 회합 이전에 이미 몇몇 사람이 사건을 조사하고 정리해내고 있었다는 것을 의미한다. 사건의 인지와 더불어 기사 보도가 나간 뒤에 일주일이 넘어서야 이 회합이 이루어진 것은, 바로 이 때문이었던 것으로 보인다. 이날 회의 즉석에서 조직된 구제연구회의 집행부는 14명으로, 조직도는 다음과 같다.

- 집행위원장 : 최흥종
- 서무부 : 오헌창, 최영균, 김창호
- 조사부 : 김응모, 김유성, 진재순, 고재섭, 정인세
- 교섭부 : 유연상, 최영욱, 김재천, 최원순, 김용환(9월 2일 사임)

그리고 이 회합은 이미 개최되기 전부터 지역사회에 알려져 있던 것 같다. 회합이 열린다는 소식을 들은 천정 궁민 100여 명이 서석의원 앞에 장사진을 치고 회합 결과를 기다리고 있었던 것이다.

> 그러나 원체 그들은 올 데 갈 데가 전혀 없는 궁민들이기 때문에 눈물과 한숨으로 날을 보내다가 별항 보도한 바와 같이 광주지방 유지 30여 명이 회합하여 그 대책을 강구한다는 소식을 들은 그네들은 회장인 서석의원 문전에 쇄도하여 무슨 좋은 소식이 있지 아니한가 하고 기다리는 자가 백여 명이 있었다고 한다.
>
> -「광주읍 가옥 철거구 궁민구제회 조직」, 『동아일보』, 1932. 8. 16.

한편, 이들이 구제연구회를 조직하면서까지 천정 일대 궁민가옥 철거 문제에 관심을 가졌던 것은 단순히 이번 문제가 천정에만 국한되는 것이 아니라는 판단 때문이었던 것으로 보인다. 당시 광주읍은 천정을 포함, 누문정(樓門町), 임정(林町), 금정(錦町), 호남정(湖南町) 등 하천정리사업 구간 전체에 해당하는 지역에 불법 점유하고 있던 궁민가옥들을 철거할 계획을 갖고 있었다. 천정 궁민가옥 철거는 바로 그 계획의 첫 실행이었던 셈이다.

당시 하천부지에 토막을 짓고 살고 있었던 호수는 이미 철거된 천정 일대 200여 호를 포함, 대략 1,200여 호에 달했으며, 여기에 살고 있는 거주자만 해도 6,000여 명 정도[16]로 추산되고 있다. 1932년 당시 광주 인구수가 33,257명[17]이었던 것을 감안하면, 광주 전체 인구 중 1/6에 육박하는 엄청난 수였다. 만약 광주읍이 대체 거주지나 이전비 등 대책을 마련하지 않은 채, 계획을 전면적으로 실행했을 경우 어떤 불상사가 일어날지 충분히 예측 가능한 상황이었기 때문에, 구제연구회 입장에서는 천정 문제에 대한 대책을 정확하게 짚고 넘어가지 않으면, 향후 강제 철거에 내몰리게 될 나머지 궁민들의 문제 또한 풀리지 않을 것이라 판단했을 것이다. 실제

16 「광주궁민구축사건」, 『동아일보』, 1932. 8. 31.

17 광주읍의 호수와 인구는 1932년 말 현재를 기준으로, 7,170호에 33,257명이었다.(「1년간 증가, 2천8백여」, 『동아일보』, 1932. 8. 31.)

로 하천부지 궁민들의 가옥에 대한 전면 철거가 몰고 올 사태에 대해 당시 여론은 이를 '절대의 위험신호'로 받아들이고 있었다.

> 결국 이 같이 하면 1,200호, 6,000여 명 즉 광주 인구의 1할6분을 가상(街上)에 배회하게 할 것이다. 인도상으로 문제를 삼는 것은 차라리 그들에게 무의미하다 하고 광주읍 자체의 이해로 보아 이 정책은 가장 저열한 것이다. "보건", "보안", "풍기", "도시미관" 등 도시정책의 근본문제에 대하여 6천의 유이민은 절대의 위험신호다(밑줄-인용자). 광주읍 경내에서 그들을 몰아내면 그만이라고 읍당국은 생각할 모양이나 이것도 현대도시행정의 가장 유치기에 쓰던 졸렬한 정책이다.
>
> -「1년간 증가, 2천8백여」, 『동아일보』, 1932. 8. 31.

한편, '구제연구회'가 단순히 지역문제에 대한 유지들의 형식적 조직체가 아니라, 실질적 대책을 위한 조직체였다는 것은 그들의 발 빠른 활동상황과 더불어 각 부의 담당역할이 분명했다는 것에서 여실히 드러난다. 회합이 끝난 바로 다음 날부터 시작해 17일까지 구제연구회 조사부가 천정 일대에 대한 현장조사를 마치고, 그 결과를 갖고 교섭부가 18일에 읍장 면담까지 실시[18]한 것이다. 조사부에서 현장조사를 실시한 결과, 천정 일대

18 『동아일보』 1932년 8월 19일자 「천정(泉町) 철훼가(撤毁家)만 198호」에 구제연구회가 천정 일대를 현장조사한 결과와 함께, 이 결과를 갖고 당시 광주읍장이던 오촌신길(奧村信吉)을 만나려고 하였으나 병 때문에 출근하지 않아 구제연구회 위원들이 그의 출근을 기다리고 있다는 내용이 실려 있다. 또한 같은 신문 1932년 8월 21일자 「금년 철훼 500호, 2천 궁민 하처거(何處去)」에는 18일에 구제연구회 교섭부 위원들(최영욱, 김재천, 최원순, 김용환 등 4명)이 읍장과 부읍장을 면담했다는 내용이 나온다. 또 한편으로, 21일자 기사에 따르면, '구제연구회'의 조사는 우선 천정 일대를 마친 후, 향후 광주읍의 철거 계획이 있는 누문정(樓門町), 임정(林町), 금정(錦町) 등지까지 조사할 계획까지 세웠던 것으로 보인다. 당시 광주읍 당국에서는 1932년 말까지 하천부지에 있는 토막 500호를 전면 철거할 계획을 갖고 있었다. 여기에 걸려 있는 궁민들의 수효만 해도 2천여 명 정도로 추산하고 있다.

에서 헐린 토막이 198호이며, 해당 궁민은 869명으로 집계되었다. 이 결과를 갖고 교섭부는 당시 광주읍장이던 오촌신길(奧村信吉)을 찾아간다. 그러나 신병을 이유로 출근이 늦던 읍장을 기다린 끝에, 오촌 읍장과 부읍장을 면담하게 되지만, 별 성과를 거두지 못한다. 읍 당국의 대책은커녕 금년(1932년) 안에 호남정, 누문정을 포함해 가옥 500여 호를 철거할 계획이라는 말만 통보 받았을 뿐이었다.

결국 구제연구회는 읍 당국과 교섭이 간단치 않음을 판단하고, 주변을 공략하는 것으로 전략을 바꾼다. 먼저 당시 여름휴가를 떠난 전남도지사가 8월 21일에 돌아온다는 소식을 듣고, 그 이튿날인 22일 시도삼조(矢島杉造) 도지사를 방문한다. 구제연구회 위원들은 도지사에게 광주읍 당국이 아무런 대책 없이 궁민가옥을 철거했다는 것과 그 대책이 필요하다는 것을 전달하고, 이에 도지사는 "잘 고려하여 좋은 방침으로 처리"하겠다는 답을 주게 된다.[19]

도지사의 긍정적인 답변에 고무된 구제연구회 교섭부는 다시 8월 24일, 광주읍 의원 14명 전부를 구제연구회 간담회에 초대한다. 그러나 중앙의원 3층에서 진행된 이 회합에 출석한 읍의원은 6명에 불과했다. 구제연구회 집행위원들과 읍의원들 간의 간담은 저녁 8시부터 11시까지 진행되었으며, 간담을 통해 읍의원들로부터 얻어낸 답변은 '읍의원간친회'를 개최해 이 문제를 논의해보기로 했다는 것이었다. 사실상 6명의 읍의원 숫자로는 간담회에서 결정할 수 있는 권한이 없었기에, 구제연구회 또한 그 정도에서 만족하고 간친회 결과를 기다릴 수밖에 없는 입장이었다.

8월 30일, 읍의원들은 약속대로 간담회를 개최한다. 이날 광주읍회의실에 열린 간담회에는 읍의원들 이외에도 읍장과 부읍장, 서무주임이 참

---

19 「도지사에게 진정, 선처하겠다 언명」, 『동아일보』, 1932. 8. 25.

석했다. 그러나 이들이 장시간 논의 끝에 내린 결론은 "하등 구제책이 없다"는 것이었으며, 이를 '구제연구회'에 회답하기로 만장일치 가결했다는 것이었다. 평소 광주읍장이 갖고 있었던 생각에 읍의원들이 그대로 따른 결론이었다.

> 읍의원 간담회에서도 하등의 대책이 없다고 결정되었다고 합니다. 귀 지(동아일보-인용자)를 통하여 총독과 내무국장의 말을 보았소이다. 총독과 내무국장이 어떠한 말을 듣고 대답하였는지는 알 수 없으나 지방에 따라서 사정이 다른 만큼 광주읍에서는 상부의 특별한 명령이 있기 전에는 하등의 대책이 없다고밖에 말할 수 없습니다.
>
> -「읍의원도 읍에 합류, '구제책 전문' 회답」, 『동아일보』, 1932. 9. 4.

위의 내용은 읍의원 간담회가 끝난 후, 동아일보 기자가 인터뷰한 광주읍장의 말이다. 총독과 내무국장이 '구제연구회'에 어떤 약속을 했건 상관없이,[20] 지역 사정에 따라 그 해결책이 다를 수밖에 없기 때문에, 현재 광주읍으로서는 그 약속을 지킬 수 없다고 한 것이다.

그렇다면 "지방에 따라서 사정이 다른 만큼"이란 무슨 뜻일까. 이는 광주읍에서 궁민가옥철거 사건이 일어나기 전, 한국 내에서 특히 1930년대에 대대적으로 행해졌던 토막민 가옥 철거 문제 및 그 해결방식의 선례와 관련된다. 당시 대부분의 지역에서 토막민 가옥철거는 아무런 대책 없이 강제로 시행되고 있었는데, 1930년대 초반 경성부 송월동의 경우나 길야정(吉野町)의 경우는 토막민 가옥철거와 관련, 이주대책을 보여준 사례가

20 읍의원들의 간담회가 있기 전, 총독과 내무국장이 광주읍 천정 궁민가옥 철거 문제에 대해 구제가 필요함을 시인했던 것으로 보인다(「횡설수설」, 『동아일보』, 1932. 9. 2.). 다만, 이 사건이 당시 어떻게 총독과 내무국장에게 전달되었는지는 기록 자료를 찾을 수가 없다.

있기도 했었다.[21] 당시 『동아일보』는 이 사례들을 전제한 듯, "경성 기타 다른 도시에 전례가 있는 일인데, 이 길을 밟지 않고 광주읍이 강제로 몰아"[22]냈다면서, 광주읍의 무성의한 태도를 비판하고 있던 차였다. 광주읍장은 광주의 사정이 그런 지역들과는 다르기 때문에 동일한 대책을 시행할 수 없는 것이라 발언하고 있는 것이다.

이와 관련하여 광주읍이 철거 궁민 대책에 대해 아무런 고민이 없었다는 것은 이 시기에 광주읍의 추가예산을 결정하는 데 있어, 철거 궁민들과 관련된 구제비용 항목이 아예 없었다는 것에서 확인된다. 읍의원들의 간담회(1932년 8월 30일)가 있은 직후인 9월 2일 오후 3시, 광주읍에서는 임시읍회의원회를 개최해 소화7년도 추가예산안 14,453원을 원안대로 통과시킨다. 이때 광주시내 여러 가지 시설공사를 조속히 시행해줄 것을 요청코자 총독부에 진정하기 위해 예산항목 및 기타 안건을 가지고 상경할 것을 결정하게 되는데, 그 내용은 "광주읍구역확장의 건, 세무감독국신설의 건, 상수도수원지확장의 건, 광주우편국관사이전의 건, 광주경찰서신축의 건, 광주경찰서장경시승격의 건"[23] 등 6건뿐이었다. 광주읍장과 읍의원들의 철거 궁민 대책에 대한 간담회 결과는 바로 이런 맥락에서 나

21 길야정(吉野町)의 경우는 이곳을 담당했던 본정 서에서 토막민 이전 후보지로 효창원을 정해주는 동시에 이전비로 10원씩 지출해준 바 있다(1931년). 송월동의 경우는 당시 170여 호에 8백여 주민들이 토막민들의 거주지가 경성중학교의 소유부지였었는데, 미관상의 이유로 경성중학교에서 퇴거 명령을 내리자, 주민들이 각계에 진정서를 제출하면서 지역사회 문제로 떠오르게 된다. 6개월에 걸친 지역사회 논의를 거쳐 이 문제는 법적인 문제를 떠나 사회정책적 측면에서 접근해야 할 문제라 판단, 1932년 3월에 아현리에 있는 면유지 2,070평을 도 지방비로 매입해 이주시킬 계획을 마련하게 되며, 그해 7월에 160호가 아현리로 이전하게 된다(「이전 후보지도 작정 안코 상천하(霜天下)에 축출하면」, 『동아일보』, 1931. 10. 11;「송월동 2번지 주민에게 경찰 우복 철거를 명령, 향로무처의 200여 주민 등, 도 당국에 탄원 제출」, 『중앙일보』, 1932. 3. 28.;「아현리 방면에 이주시킬 계획」, 『동아일보』, 1932. 3. 13.;「송월동 토막민 아현리에 주접(住接)」, 『동아일보』, 1932. 7. 24. 참조.).

22 「광주읍유지 궁민 주민 5백여 호 강제 철훼」, 『동아일보』, 1932. 9. 1.

23 「광주읍의회 추가예산 결정」, 『동아일보』, 1932. 9. 7.

온 것이라 할 수 있다.

전남도지사와의 면담 분위기도 좋았거니와, 총독부 당국의 입장 또한 대체 거주지를 마련해주는 것이 마땅하다는 의견을 내놓은 상황에서 구제연구회로서는 읍의원간담회에 대한 기대가 높을 수밖에 없던 차였다. 그런데 그 논의 결과가 완전히 상반되게 나오자, 구제연구회는 읍당국에 대해 소리 높여 비난을 퍼붓게 된다.

> 작일의 귀 지(동아일보-인용자)를 통하여 총독부의 방침을 알았소이다. 총독과 내무국장의 그 말에 틀림이 없다 하면 광주읍장의 의견과 방침과는 정반대되는 것입니다. 총독부 방침은 그러한 궁민들은 될 수 있는 대로 구제할 것이니 당국자로서는 노력하여야 된다는 것이요, 광주읍장의 지금까지의 의견과 방침은 필요가 없으니 노력할 것이 없다는 것입니다.
>
> 전일 구제연구회 위원이 방문하였을 때, 읍장은 재정상 부득이 하여 단행하였으니 대책을 고려치 아니했을 뿐이라, 읍의원들에게 문의할 것도 없다는 것을 언명하였고, 그 후 태도로도 그러합니다. 그 후 또 읍장이 여러 사람들에게 언명하였다는 바를 물으면 읍으로서는 대책이 없다는 것을 유일한 방패로 쓰는 모양이다. 그러나 우리가 보면 그 대책이 분명하게 있어 보입니다.
>
> 읍장이 궁민들의 갈 곳을 고려하여 본 적이 있으며, 조금이라도 노력하여 본 적이 있었는지 우리는 그 양심에 물어보고 싶습니다. 우리가 아는 바로는 하나도 없소. 공법상의 수속도 다 밟지 않고 강제로 파궤한 후 구제연구회가 생겨서 그것이 모 일문지에 게재되었고 그것을 본 도지사가 비로소 읍장을 불러서 그 진상을 물은 데에 그쳤습니다. 우리는 읍장이 어느 이상한 심리로 자기의 것을 고집하고 있을 뿐 아니라,

이 읍장을 옹호하는 모모 방면 사람들의 책동으로 인하여 총독부의 대방침이 얼마만 한 변화를 가지게 될는지 주목하고 싶습니다.

– '구제연구회' 모 의원의 담(談)(「총독부 방침에 읍 처치 배치」, 『동아일보』, 1932. 9. 4.)

읍의원간담회의 회신을 받은 구제연구회는 9월 2일 오후 8시, 서석의원에 모여 장시간 "비분강개한 논의" 끝에 "도 및 읍 당국에 재차 교섭할 사(事), 남선(南鮮) 순시의 우원(宇垣) 총독의 래광(來光)을 기하여 진정할 사, 시민대회를 개최하여 경과를 보고하는 동시에 대책을 강구할 사, 읍당국이 성의를 다하지 아니하는 때에는 최후로 법적 수속을 할 사"[24] 등의 사항을 결의한다. 전남도당국 및 광주읍당국과의 교섭을 진행하되, 여의치 않으면 법적 수속까지 불사하겠다는 결의는, 구제연구회가 읍의원간담회의 결과에 얼마나 심한 배반감을 느꼈는지를 잘 보여주는 대목이다. 이들은 일단 읍당국의 입장이 총독부의 입장과는 배치되기 때문에, 조만간에 광주를 순시하게 될 총독을 직접 만나 그 입장을 확인해보는 것이 좋겠다는 판단을 하고 있다. 따라서 우원 총독을 면담하는 9월 8일까지 구제연구회의 활동은 소강상태에 접어들게 된다.

우원 총독이 광주를 방문한 9월 8일 오전, 구제연구회 위원들(최흥종, 김재천, 최원순 등 3명)은 전남도청 지사실에서 총독을 면담한다. 이들은 총독에게 그간의 진행 상황과 궁민들의 비참한 생활을 알리고, 그 대책으로 임정(林町)에 있는 국유지(1만 평 가량)가 적당한 후보지라는 것과 그 땅을 광주읍에 대부하여 궁민들이 이주할 수 있도록 해달라는 제안을 한다. 이에 "명쾌한 어조로 잘 처리하도록 하겠다"는 총독의 대답을 받아낼 만큼, 면담 분위기나 그 성과는 구제연구회가 원하는 방향으로 진행됐던

24 「읍당국이 무성의하면 최후로는 법적 수속」(『동아일보』, 1932. 9. 5.)에서 인용.

것으로 보인다.[25]

> 그런데 우원 총독의 래광을 기하여 광주읍가옥철거구 궁민구제연구회에서는 최흥종, 김재천, 최원순 3명이 전라남도 지사실에서 우원 총독을 면회하고 화기가 넘치는 간담적으로 진정하였다는데, 그 내용은 여좌하다고 한다. 광주읍에서는 그 기채상환의 필요상 그 소유토지를 처분하려고 궁민 등의 집을 강제로 철거하여 버렸으나 2,000여 명의 인구가 도로에 방황하고 있는 것은 인도상으로 광주시가 미관상으로 보아 도저히 방미할 수 없는 바이오니 임정(林町)에 있는 국유지(1만 평 가량)가 그들이 이주하기에 가장 적당한 후보지인즉 그것을 광주읍에 대부하여 궁민 등의 안주지대로 하여 달라고 하였다고 한다. 이러한 진정을 들은 우원 총독은 명쾌한 어조로 잘 처리하도록 하겠다고 대답하였다고 하므로, 2,000 궁민의 안주지는 임정으로 결정될 듯하다고 한다.
>
> –「임정(林町)의 국유지를 궁민의 안주지(安住地)로」, 『동아일보』, 1932. 9. 10.

총독의 확실한 답변이 효과가 있었던 듯, 이후 읍당국과 구제연구회의 교섭은 급물살을 타게 되는데, 쌍방의 합의 결과는 총독 면담 시에 구제연구회의 제안대로 궁민들을 임정(林町)에 이주시키기로 결정한 것이었다. 이에 구제연구회는 9월 10일부터 48명의 인부를 데려와 지평공사를 시작한다.[26]

그러나 9월 19일, 구제연구회는 느닷없이 광주읍에 "교섭파열 통고"문을 보낸다. 읍당국이 약속을 무시하고 협정을 번복했다는 것이 이유였다.

25 「임정(林町)의 국유지를 궁민의 안주지(安住地)로」, 『동아일보』, 1932. 9. 10.
26 「궁민 이주지 임정(林町)으로 결정」, 『동아일보』, 1932. 9. 12.

읍당국이 "읍의 최초 의사를 고집키 위하여 총독 각하의 융화협조하라는 지시를 배반함으로 본 회는 차(此) 이상 읍과 교섭할 여지가 전무케" 되었다는 것이다. 그 통고문의 전문은 다음과 같다.

> 소화 7년 9월 19일.
>
> 광주읍가옥철거구궁민구제 연구회위원장 최흥종
>
> 광주읍장 오촌신길(奧村信吉) 귀하.
>
> 귀하와 본 회 대표 간에 광주읍가옥피철훼궁민구제방침을 수차 협의하였으나 귀하는 약속을 무시하고 재삼(再三) 자의(自意)로 협정을 번복하며 시일을 천연(遷延)시킴으로써 능사를 삼으니 차(此는) 읍의 최초 의사를 고집키 위하여 총독 각하의 융화협조 하라는 지시를 배반함으로 본회는 차 이상 읍과 교섭할 여지가 전무케 됨을 통석히 여기고 자이(玆以) 통고함.
>
> -「광주궁민구제 교섭이 파열」(『동아일보』, 1932. 9. 22.)에서 인용.

위 통고문에서 읍당국이 '무시한 약속'과 '번복한 협정'이 정확하게 명시되지는 않았으나, 애초에 구제연구회를 조직한 궁극적인 목적이 비단 천정 일대 궁민들뿐만 아니라, 당시 하천부지에 토막을 짓고 살고 있었던 궁민들 전체에 대한 대책을 마련하는 데까지 관심을 두고 있었다는 것을 감안한다면, 교섭파열 통고는 한참 임정 이주지 지평공사가 진행되고 있던 당시에 갑자기 벌어진 누문정(樓門町)의 가옥 철거와 관련된 것으로 추정된다. 광주읍은 천정 궁민들에 대해 구제연구회와 쌍방 합의를 한 이후인 18일에, 5~6명의 인부를 시켜 누문정에 있던 궁민 가옥을 철거하기 시작한 것이다. 아마도 이에 격분한 구제연구회가 읍당국이 약속을 파기했다고 판단, 19일에 교섭파열을 선언한 것으로 보인다. 구제연구회로부터 통

누문정 궁민들의 가옥이 철거당한 직후 광경〈사진 출처 : 『동아일보』, 1932.9.26.(3면)〉

고를 받았음에도 불구하고 읍당국의 철거는 19, 20일까지 진행되는데, 3일 동안 이들이 철거한 누문정 가옥은 30여 호였다. 여기서 발생한 유이민은 200명에 달했다.[27]

양측 간의 교섭파열이 있은 후, 구제연구회의 활동 상황은 『동아일보』를 포함, 어떤 중앙 일간지에도 더 이상 전해지지 않고 있다. 다만 그해 12월 초에 임정에 궁민 30여 호가 이주한 사실이 기사화 된 것으로 볼 때, 지난 9월에 시작한 지평공사는 교섭파열에도 불구, 그대로 진행되었던 것을 알 수 있다. 물론 그 당시 교섭 내용을 정확하게 파악할 수 없어, 그 내용에 이주를 위한 가옥 건축 비용이 들어 있었는지는 현재로선 알 수 없다. 그러나 어떻든 천정 궁민들은 광주협동조합에서 임정에 마련해주었던 임시수용소에서 생활하고 있었는데, 11월 29일 구제연구회 위원들의 모금으로 토막을 다시 지어 생활할 수 있게 된다. 임정 입주 당시 상황에 대한

27 「광주읍에서 인부시켜 30여 가옥 또 철훼」, 『동아일보』, 1932. 9. 26.

기사 내용은 다음과 같다.

> 전기한 바와 같이 가옥을 철거당한 궁민들은 그 대부분이 산지 사방하여버렸으나 30여 호만은 임정에다가 그 당시에 전기 구제연구회에서 건설하였던 임시수용소를 의지하고 입동을 맞이하게 되었다고 한다. 그럼으로 전기 연구회에서는 위원 일동이 주머니털이를 해가지고 지난 29일에는 전기한 바의 30여 호가 일제히 토막이나마 세우게 되었다고 한다. 그럼으로 30여 호의 궁민 140여 명은 생활의 근거지를 파괴당한 5개월만에 겨우 동사를 면할 수 있다고 한다.
>
> –「구제회원의 활동으로 30호 토막 건축」,『동아일보』, 1932. 12. 2.

이로써 7월 말부터 12월 초까지 근 4개월 이상에 걸쳐 진행되었던 광주읍 궁민가옥 철거 문제는 임시적으로나마 천정 궁민들이 임정으로 이주함으로써 마무리된다.

지역사회의 역할

구제연구회의 활동은 4개월이라는 짧은 기간이었지만, 그 활동은 단순히 구제연구회 위원들만이 아닌, 지역사회의 에너지가 총력적으로 작동되었던 것으로 보인다. 어쩌면 이 사건의 진행과정은 구제연구회가 뜻한 바대로 문제가 해결되지는 않았지만, 또 다른 측면에서는 시민사회의 기반을 마련해나가는 기회이기도 했으며, 이후 광주 도시계획에도 영향을 미치는 등 지역사회에 상당한 자산을 남기게 된다. 여기서는 몇 가지 측면에서 그 자산의 의미들을 살펴보기로 한다.

먼저 구제연구회 활동이 '구제회'가 아닌 '구제연구회' 활동이었다는 데 주목할 필요가 있다. 사실 일제강점기에 식민지라는 특수성 하에서 당대

한국인들이 당면해야 했던 정치적·사회적 문제들은 다양한 분야에 산적해 있었다. 농민·노동자, 빈민, 나병, 교육, 마약 등은 물론 기근이나 수해와 같은 자연재해에 이르기까지, 한국인들은 이런 문제들을 민족적 역량으로 풀어내기 위해 각고의 노력을 기울인다. 그런 노력 중의 하나가 '구제회'를 만드는 것이었는데, 특히 장기적으로 조사·연구를 하면서 풀어야 할 사안들이 있으면, '연구회'를 만들어 활동을 해나갔다. 연구회 활동은 지역 혹은 전국적 단위의 역량들이 장기간 집중되어야 한다는 측면에서, 일회적이거나 단기적인 구제회 활동보다는 훨씬 더 강도 높았던 것이 사실이다. 대부분의 구제회가 사안을 해결하기 위해 단순한 기부 활동 정도에 그쳤다면, 연구회는 기부를 넘어 정책을 설계하고 대안을 총독부 당국이나 지역 행정당국에 요구하는 정치적 행동까지 포괄했다는 점에서 더욱 그러하다. 이 때문에 연구회 조직은 만만치 않은 일이었다.[28]

천정궁민구제연구회의 활동은 바로 이런 측면에서 이해할 필요가 있다. 앞서 설명한 바와 같이, 구제연구회는 천정 궁민의 문제가 단순히 천정에만 그치는 것이 아니라, 누문정, 임정, 금정, 호남정 등 하천정리사업 구간 전체에 집단적으로 형성된 궁민가옥들이 유사한 처지에 내몰릴 것이라 판단했을 것이며(실제로 광주읍은 그 계획을 갖고 있었다), 게다가 여기에 걸려 있는 빈민수가 광주 인구의 6분의 1(한국인 인구 1/5)에 육박한

28 이는 구제연구회 집행위원장을 맡았었던 최흥종 목사의 개인적 이력 및 성향과도 관련이 깊은 것으로 보인다. 당시 일제강점기 광주 지역 신문자료를 통해 보면, 최흥종이 주도적으로 이끌었던 '조선나병환자근절연구회'와 '광주읍 가옥 철거구 궁민구제연구회'가 가장 장기적으로 가장 많은 기사보도수를 보여주고 있다. 이는 그만큼 최흥종의 활동이 가장 적극적이고 끈질기게 이루어졌으며, 그 결과 전국적·지역적 이슈화가 되었음을 의미한다. 실제로 최흥종은 두 연구회 활동에서 장기간에 걸쳐 현장에 대한 철저한 조사와 분석, 정책적 대안 제시, 투쟁 전략에 이르기까지 집요한 자세를 보여주고 있다. 그리고 무엇보다도 이 같은 궁민구제연구회 조직은, 최흥종이 그 직전에 수행했던 '조선나병환자근절연구회'의 경험이 있었기에 가능했던 것으로 보인다.

다는 사실은 지역 내 한국인들에게 미칠 파장이 예상 외로 엄청날 것이었다. 이 때문에 광범위한 현장조사의 필요성, 읍 당국과 교섭을 위한 근본적 대책 마련 등을 생각했을 때, '구제회'가 아닌 '구제연구회'의 형식이 적절할 것으로 생각했을 것이다. 더불어, 구제연구회의 명칭을 천정이 아닌, '광주읍 가옥 철거구 궁민구제연구회'라는 보다 광범위한 공간 범주를 포괄하는 것으로 정한 것도 바로 이런 맥락에서이다.

한편, 일제당국과의 4개월에 걸친 싸움을 궁민구제연구회 위원들만 했던 것은 아니다. 여기에는 의료, 식량, 기부금, 임시거주지 마련 등 다양한 방식으로 참여했던 시민사회의 힘도 작동했다. 7월 말에 집이 철거당한 뒤, 오갈 데가 없어진 빈민들은 빈터나 냇가에 가마니를 치고 생활해야 했으며, 광주읍 당국에서는 노숙하고 있던 이들의 살림과 집 뜯긴 재목들조차 하천에 내다 버려 더욱더 비참한 지경에 빠지게 된다.

> 벌써 지난 7월 중에 집을 뜯겨버린 천정 일대의 궁민 8백여 명 중에는 자력을 집을 지어가지고 떠나버린 사람도 약간 있으나 그러나 그 대부분은 시내 여기 저기 있는 빈터나 혹은 냇가에 가마니 한두 닙을 치고 2, 3명 내지 6, 7명의 가족이 옹켜 앉아 이주할 곳을 지정해주기를 기다리고 있는 참상이라고 한다.
>
> -「일기(日氣)는 점한(漸寒) 선처만 고대」,『동아일보』, 1932. 9. 6.

> 그러나 원래 올 데 갈 데가 없는 궁민들은 집을 뜯을 때 나온 바름이나 섬피 등속을 싸놓은 천정을 떠나지 못하고 있으면서 노천 생활을 계속하였다고 한다. 그런데 광주읍당국에서는 40여 일 동안을 계속적으로 그네의 떠나기를 재촉하였음으로 흐지부지 이리저리 떠나가버리고 지난 6일에는 31호만이 남아 있었다고 한다. 그럼으로 광주읍에서는

지난 6일에는 손구루마(手貨車)를 가지고 천정에 출동하여 노숙하고 있는 31호의 살림과 집 뜯은 재목 등을 실어다가 임정 하천부지로 보내 버렸다 한다.

–「광주가옥 철훼 이후 40일 노천생활」, 『동아일보』, 1932. 9. 9.

노천생활이 장기화되면서 식량 문제는 물론, 굶주림으로 인한 부황병, 그리고 이질까지 발생하는 등 천정 빈민들은 총체적 난국에 처하게 된다. 구제연구회 위원들의 주머니털이로는 해결 불가능한 상황에 봉착하자, 광주 지역사회가 나서게 되는 것이다. 구제연구회의 위원이자 의사였던 최영욱은 의료지원을 하고, 광주협동조합은 임정에 임시수용소를 설치해 노천생활을 면하게 해주었으며, 시민들은 식량지원을, 유지들은 기부금을 내놓는 등 다방면으로 천정 빈민들을 지원하게 된다.

그런데 천정 45번지에 살면서 가옥을 철거할 때로부터 지금까지 그 비참한 시중을 보고 있던 이명윤 五五 씨는 그렇게 넉넉지도 못한 생활을 하면서 현금 62원을 가져다가 마지막으로 쫓겨나가는 31호에 2원씩을 나누어 주었으므로 그네들은 감사의 눈물을 흘리면서 받아가지고 갔다고 한다.

–「부황과 설사, 궁민의 참상」, 『동아일보』, 1932. 9. 9.

전 광주의 조선인 시민은 신경을 날카로이 하여 이 구제연구회의 활동 여하를 주목하고 있던 중이었는바, 지난 7월 중에 천정 일대에서 집을 뜯긴 40여 일 동안에 그들은 노천생활을 계속할 뿐외라. 그 생명이 풍전등화와 같은 참상이라는 것을 알게된 광주협동조합과 권계수 씨, 정운채씨, 춘목암 네 곳에서는 각각 만주조(만주속) 한가마니씩을 전기 구제

위 광주시민들이 기부한 식량을 천정 궁민들에게 나누는 장면 **아래** 서석의원 최영욱 원장이 궁민들을 무료진료하고 하고 있는 장면.〈사진 출처 : 『동아일보』, 1932. 9. 10.(3면)〉

연구회에 보내어서 궁민들에게 분배하여 주기를 의뢰하였다고 한다.

–「풍전등화의 생령(生靈)에 滿洲栗을 분급해」, 『동아일보』, 1932. 9. 10.

별항 보도한 바의 좁쌀 4가마니를 받은 구제연구회에서는 그 궁민 중에서도 가장 어려운 64호를 조사하여 가지고 지난 7일에는 한 사람에게 한 되씩 274명에게 분급하였다고 한다. 그뿐 아니라 전기 연구회의 위원의 한 사람인 서석의원장 최영욱 씨는 그 많은 병자들을 일일이 진찰한 후에 약까지 전부 무료로 주었다고 한다. 그리고 전기 협동조합 에서는 임정에다가 임시수용소를 지어서 그네들로 하여금 노천생활을 면하도록 해주었다고 한다.

-「구제연구회서 무료로 시약」,『동아일보』, 1932. 9. 10.

그런데 설상가상으로 이 비참한 생애를 계속하여 나가는 그 궁민들 중에는 전염병 환자까지 발생되었다. 최 의사의 진찰에 의하건대 적리(赤痢)로 판명되었다는데, 이것이 일반 궁민 등에게 전염되지나 아니할까 하여 심히 우려하는 중이라고 한다. 그런데 전 기 궁민 중의 참상을 듣고 있는 현준호 씨는 50원을, 김흥열 씨는 10원을, 손이채 씨는 5원을 각각 자진하여 구제연구회에 보내왔다고 한다.

-「광주궁민노천생활에 전염병까지 발생」,『동아일보』, 1932. 9. 17.

다음으로, 구제연구회와 더불어 지역사회가 동력을 잃지 않고 장기간의 싸움을 지속할 수 있었던 이유로 무엇보다도 언론의 역할이 컸었다. 정확히 말하자면, '동아일보'의 역할이다. 다른 일간지(매일신보, 조선중앙일보)들이 1~2개 혹은 2~3개 정도의 기사를 단신으로 보도했다면, 천정철거사건과 관련된 동아일보의 기사 건수는 총 34개로, 기사명과 날짜는 다음과 같다.

〈표 2〉 천정궁민가옥철거사건 관련『동아일보』기사(1932년)

no	기사 제목	보도 날짜
1	이백여호의 빈민굴 광주읍에서 강제 철훼	08. 08.
2	불하주택지에 빈민들이 建家	08. 08.
3	광주읍 가옥 철거구 궁민구제회 조직	08. 16.
4	빈터에도 못 있게 퇴거를 강박	08. 16.
5	천정(泉町) 철훼가(撤毁家)만 198호	08. 19.

no	기사 제목	보도 날짜
6	금년 철훼 500호, 2천 궁민 하처거(何處去)	08. 21.
7	보안, 위생 영향은 부지. 철훼할 때 이전료도 없어, 읍과 교섭위원 문답	08. 21.
8	도지사에게 진정, 선처하겠다 언명	08. 25.
9	구제연구회서 읍의(邑議) 간담회 개최	08. 27.
10	횡설수설	08. 30.
11	광주 궁민구축(窮民驅逐)사건 (*사설)	08. 31.
12	광주읍유지 궁민 주민 오백여호 강제 철훼	09. 01.
13	횡설수설	09. 02.
14	광주의 궁민문제 (*칼럼)	09. 02.
15	읍의원도 읍에 합류, '구제책 전무' 회답	09. 04.
16	총독부 방침에 읍 처치 배치	09. 04.
17	광주와 궁민문제(하) (*칼럼)	09. 04.
18	다시 광주궁민 문제에 대하여 (*사설)	09. 05.
19	읍당국이 무성의하면 최후로는 법적 수속	09. 05.
20	일기(日氣)는 점한(漸寒) 선처만 고대	09. 06.
21	자가(自家)를 보존코저 토막 또 철훼	09. 08.
22	횡설수설	09. 09.
23	광주가옥 철훼 이후 40일 노천생활	09. 09.
24	부황과 설사 궁민의 참상	09. 09.
25	임정(林町)의 국유지를 궁민의 안주지(安住地)로	09. 10.
26	풍전등화의 생령(生靈)에 滿洲栗을 분급해	09. 10.
27	구제연구회서 무료로 시약	09. 10.
28	궁민 이주지 임정(임정)으로 결정	09. 12.
29	광주궁민노천생활에 전염병까지 발생	09. 17.
30	광주궁민구제 교섭이 파열	09. 22.
31	광주읍에서 인부시켜 30여 가옥 또 철훼	09. 26.
32	일기점한에 생로가 암담	09. 26.
33	구제회원의 활동으로 30호 토막 건축	12. 02.
34	'사례할 말이 없소'	12. 02.

위의 표를 보면, 동아일보는 1932년 8월 8일 최초 기사를 발신한 뒤, 구제연구회가 임정에 토막을 지어주었다는 소식을 전하고 있는 12월 2일 기사를 마지막으로, 이 사건을 마무리 짓는다. 총 기사 보도 기간은 4개월

이지만, 총 34건의 기사 중 30건이 약 40일간(8월 16일부터 9월 26일까지)에 집중되어 있음을 알 수 있다.[29] 이 기간에 이 정도의 기사 건수라면, 거의 실시간으로 현장상황을 지역민들에게 송신하고 있었던 것이라 할 수 있다. 게다가 하루에도 2~3건의 기사를 내보내는 데다가 장문의 사설과 연재 칼럼 등 기사의 길이나 무게 또한 만만치가 않았다.

광주 3·1만세운동이나 광주학생독립운동 등 정치적 사건을 제외하고, 지역에서 발생한 특정 사건에 이렇게 많은 기사수가 생산되는 것은 사실 당시로서는 아주 드문 일이었다. 어떻게 동아일보는 지역의 한 사건을 이렇듯 집요하게 보도할 수 있었을까? 이는 동아일보사 사주였던 송진우와 구제연구회의 집행위원장이었던 최흥종 목사와의 관계, 동아일보 광주지국장 김용환이 구제연구회의 교섭부 위원으로 활동했던 것, 그리고 조사부 위원이었던 최원순이 광주에 내려오기 전까지 동아일보 편집국장(대리)이었다는 사실 등을 감안하면, 충분히 이해 가능한 대목이다. 어떻든 직간접적으로 동아일보를 둘러싼 관계망에 의해 '천정 궁민가옥 철거 사건'은 언론을 통해 지속적으로 보도될 수 있었을 뿐만 아니라, 지역민들에게 그 사건을 끊임없이 환기시킴으로써 싸움의 동력을 잃지 않았던 것으로 보인다.

마지막으로, 천정궁민구제연구회의 활동은 미완성으로 끝났지만, 광주는 이 사건을 경험함으로써 1936년 금정, 양림정 일대의 빈민부락 철거문제가 다시 지역사회 주요 안건으로 떠올랐을 때, 행정당국으로 하여금 도시빈민 문제를 정책적 측면에서 계획적으로 접근하는 단초를 제공해준다. 이에 대해서는 보다 상세한 설명이 필요하다.

29 9월 26일 이후 갑자기 기사가 단절된 것은, 구제연구회가 약속을 지키지 않은 광주읍당국에 "교섭파열 통고"를 보낸 후, 실제로 진척된 상황이 발생하지 않았기 때문이다.

4. 제2차 하천정리사업과 '학강정 갱생지구'

광주읍은 1935년 10월 1일자로 대전, 전주와 더불어 부(府)로 승격되면서, 명실상부한 대도시로서의 위상을 갖추게 된다.[30] '부'로의 승격을 위해 제2차 행정구역확장을 시도하면서 인근 지역주민 1,300여 호(8천여 명)을 흡수해 전체 인구가 5만 4천여 명이 되는 "호남제일의 대도회"로서 자리 잡게 된 것이다. 새로 편입된 인구 외에도 외지 이주민이 5천여 명이 넘어가면서 주택난이 심해지는 동시에 매일 평균 10여 동이 신건축될 정도로[31] 활기를 띠게 된다.

광주부로의 승격은 '대광주건설계획' 추진에 더 박차를 가하는 기점이 되는데, 1920년대 후반에 광주천 일부만을 정비했던 하천정리사업을 1936년에 '방수공사' 및 '갱생지구설치'라는 명목 하에 다시 속개하게 된다. 두 번째로 실시되는 하천정리사업의 공사구간은 광주천 상류의 '금교'와 '철교' 양안이었다. 광주부로 승격되자마자, 하천정리를 먼저 손댔던 이유는 대략 3가지 정도로 보인다. 첫째는 광주부가 연일 커지는 도시의 규모와 더불어 인구가 유입되면서 발생한 주택문제를 새로운 주택지를 조성함으로써 해결하려 했다는 것이다. 실제로 이 공사가 완료되면 8,820평의 택지가 생기게 되는데, 그중에서도 350평의 제방용지를 제외하면, 나머지 8,470평은 주택지로 활용할 계획이었다.[32] 둘째는 해마다 반복되곤

---

30 일제강점기에서 도시를 나타내는 '부(府)'는 1913년에 서울, 부산, 인천 등에 적용되었으며, 당시 부의 인구기준은 2만 명 이상이었는데, 1930년에는 3만 이상으로 상향 조정된다. 광주읍이 부로 승격되던 1935년에는 전국에 17개의 부가 있었다(광주직할시사료편찬위원회, 앞의 책, 264쪽.).

31 「광주부 인구도 5만3천여」, 『동아일보』, 1935. 10. 19.

32 세부적으로는 우안(학강정, 금정)의 6,000평 중 도로용지 230평, 주택지 5,770평이, 좌안(양림정)의 2,820평 중 도로용지 120평, 주택지 2,700평이 새로 생길 계획이었다(「광주천 정리코 주택지로 이용」, 『동아일보』, 1936. 4. 23.).

하던 여름 홍수 피해를 방지하고자 하는 것이었으며, 세 번째는 도시 미관상의 문제를 해결하려고 했다. 이 중 두 번째와 세 번째는 서로 맞물려 있는 문제들이었다. 당시 금정, 양림정 일대의 하천부지에는 약 5백여 호(2,500여 명)의 빈민들이 집단거주부락을 형성하고 있었는데, 이들은 홍수 피해자이자,[33] 동시에 도시 미관을 해치는 주범들이라 인식되고 있었기 때문이다.

때문에 광주부는 하천정리사업을 시작하기 위해 먼저 금정, 양림정 일대의 빈민부락을 철거해야만 하는 과제에 봉착하게 되는데, 이는 광주부로서는 고민거리가 될 수밖에 없었다. 바로 4년 전, 천정 일대 '궁민가옥' 철거 사건에 대한 경험 때문에, 이들 빈민부락 처리 과정에 대한 일반 시민들의 관심이 집중되어 있었던 것이다.[34] 결국 광주부는 하천정리와 함께 학강정에 '갱생지구'를 설치하여 양림정, 금정의 빈민들을 집단이주시키는 계획을 구상하게 된다. 이로써 동년 3월 20일 광주부의회가 광주부 세출입예산안 외에 18개의 안건을 제출하는데, 이때 18개의 안건 중 하나가 '河川敷地埋立並更生地區 設置費起債의 件'[35]이었다. 하천정리와 더불어 빈민들의 집단이주에 관련된 비용이 예산안에 공식적 안건으로 제출된 것이다.

---

33 매년 여름이면 이 일대에 수차례씩 홍수가 발생하여 사망자들이 생기곤 했었는데, 사망자를 비롯해 대부분의 홍수 피해자는 이곳 하천부지에 살고 있었던 빈민들이었다.

34 "5백여 호의 이주지에 대해서는 일반 시민이 광주부 당국의 처치 여하를 주목하지 않을 수 없는 사실이었다고 한다. 왜 그런고 하니 일로부터 4년 전의 본지에 누보하였거니와 광주천 하류 '현재 광주대교 부근'의 하천을 정리할 때에는 5백여 호의 주민 등에게 이주지를 지정하여 주지 아니하였음은 물론이요, 이전료도 주지 않고 읍당국에서는 5백여 호 주택을 강제 철훼하였기 때문에 일대 사회문화 하여 4개월 동안이나 분운한 문제가 층생첩출하였었다. 그러므로 금번의 금정, 양림정 일대의 하천정리를 박두해 가지고는 일반시민으로서 그 처치 여하에 관심하시 아니할 수 없는 사실이었다고 한다."(「500여호 빈민 등에 갱생지구의 이상촌」, 『동아일보』, 1936. 4. 21.)

35 「읍 당시 예산보다 2배 반 격증」, 『동아일보』, 1936. 3. 30.

그러나 '하천정리'와 묶여 있는 '갱생지구' 예산이 처리되는 데에는 상당한 난관이 따랐다. 광주부 1936년도 예산회의는 4월 28일부터 31일까지 4일 동안 호남은행에서 매일 오후 1시부터 열려 예산안 처리과정을 밟는데, 갱생지구 예산문제는 31일에 처리되는 일정이었다. 그런데 이날, 30명의 부의원들 중 몇몇 일본인 의원들이 두 개의 예산안 처리에 대해 반대를 하고 나선 것이다. 5백 호 빈민의 이주갱생구역 설치비 3만 원과 광주시장개축비 2만 5천 원이 너무나 거액이라는 것이었다. 특히 이들은 상기 예산 항목에 대한 문제 제기 외에 "학강정에 그런 부락을 두는 것은 광주부의 수치"라는 표현을 쓰며 "조선인을 모욕하는 언사를 암암리에 표명"함으로써 한국인 부의원들의 감정을 자극한다. 당시 최준기, 지정선, 정문모 등 3명의 의원이 일본인 의원들과 맹렬한 설전을 벌이게 되면서 부의장(奧村信吉)이 휴회를 선언할 만큼 회의장이 소란스러워진다. 사태가 이렇게 되자 부의장이 정회를 선언하게 되는데, 이때 다시 개회된 회의석상에서 결국 문제를 제기한 일본인 의원들이 제안을 철회함으로써 이 예산안은 원안대로 통과되기에 이른다.[36]

이 예산안 통과는 당시로서는 획기적인 사건에 해당될 만큼 각 방면의 이목이 집중되었던 사안이었다. 그때까지 국내에서 대대적으로 벌어지던 빈민부락 철거가 대부분 대책이 없거나 기껏해야 도시 교외의 일정한 장소로 옮겨놓는 일에 불과했고, 도시가 확대되면 다시 더 먼 곳으로 옮겨 격리시키는 대책 정도에 머물러 있었기 때문이었다.[37] 그런데 광주부의 '학강정 갱생지구'사업은 도시 내에 집단주거지를 마련했을 뿐만 아니라, 도로나 우물, 하수구 등 제반 생활환경은 물론 아이들을 위한 '도시간이학

---

36 이 회의과정에 대해서는 「세민구역 문제로 광주부회 대파란」(『조선중앙일보』, 1936. 4. 3.) 참조.

37 이에 관해서는 강만길, 앞의 책, 280~286 쪽 참조.

교'[38]까지 설치되는, 국내 최초의 계획적 집단이주사업이었다. 이에 대해 당시 『동아일보』는 「500여 호 빈민 등에 갱생지구의 이상촌」(1936. 4. 21.)이라는 제하에, '조선 효시의 광주부 계획'이라는 부제를 달고, 그 내용을 전하고 있다.

> 광주부에서는 올데갈데없는 500여 호 빈민들에게 영원한 안주지를 가지게 하기 위하여 갱생지구라는 새로운 명칭 하에 1만여 평의 대지를 매수하여 그곳에다가 도로, 우물, 하수구 등의 제반시설을 완비케 하려고 소화 11년도 예산에 3만 원을 계상하여 가지고 방금 그 실행계획을 수립중이라는데, 이 사실은 전 조선 어느 도시에서든지 아직까지 들어보지 못하던 의미심장한 쾌 사실이라고 하여 각 방면의 이목이 집중되어 있다는데, (중략) 사통팔달하게 도로를 개축하고서 중앙에는 공동 정호 2개소와 공동세탁소를 설치하는 동시에 하수시설도 완비케 하여 어느 도시에서도 별로 볼 수 없는 이상촌을 건설할 계획이라고 한다. 그리고 이 갱생지구가 건설되는 날에는 그 촌락 중심의 간이학교를 설치하여 그네 등의 여자교육을 여행하는 동시에 중심인물을 선택하여 교화사업도 하리라고 한다.(밑줄-인용자)

갱생지구를 조성하는 데 필요한 재원 조달을 위해 광주부는 1936년 7월 3일 3만 원의 기채를 조선총독부에 신청하고 그해 10월 27일 인가를 받는다. 당시 광주부는 빈민들이 이전료만으로는 갱생지구에 입주하기 어

38 "광주부에서는 부내의 궁세민의 자녀교육을 위하여 조선에 처음 보는 도시간이학교를 설립하기로 준비 중이라 한다. 지난 8일 오전 10시에는 남학생 40명과 여학생 38명을 모집해가지고 개교식을 흥학관에서 거행하였다는데, 교사도 부내 세궁민의 집단지인 갱생부락에 신축 중이라고 한다. 그러므로 동교사가 준공될 때까지는 흥학관에서 수업하리라고 한다."(「처음으로 생기는 도시간이(簡易)학교」, 『동아일보』, 1937. 6. 10.)

렵다는 점을 감안, 이들을 광주천방수공사와 갱생지구 매립공사에 인부로 동원한 뒤 여기서 지급되는 임금의 일부를 저축시켜 갱생지구 내 토지를 매입하도록 하는 방법을 도입했다. 구체적으로는 노임의 2할(1인 하루 50전의 10전)을 강제로 저축시키고, 또 자신이 직접 가옥을 이전하는 경우 1호당 평균 약 11원이 생기는데 이를 토지매수에 충당하도록 했다.[39] 이로써 광주부는 빈민부락 철거 문제에 항상 골칫거리로 등장하는 대체 이주지와 이전료, 그리고 빈민들의 토지 매입비 문제까지 동시에 해결할 수 있었다. 이후 학강정에는 1937년 5월에 220호, 1939년 말에 280여 호에 달하는 빈민 이주자들이 거처를 마련할 수 있게 된다.

5. 갱생지구에 대한 해석 문제

지금까지 일제강점기 천정 일대 '궁민가옥 철거' 사건을 중심으로, 근대도시로서의 변화 과정에서 '대광주건설계획'이라 불리는 광주의 도시계획과 집단빈민부락의 발생, 빈민부락 집단이주와 관련하여 국내 최초의 계획적 정책 산물로서의 '학강정 갱생지구' 형성 과정을 살펴보았다. 이 과정은 일제 행정당국의 빈민에 대한 무대책, 이에 대응하기 위한 지역사회 한국인들의 자발적 조직의 구성과 지난한 투쟁, 시민의 관심과 원조, 그리고 빈민구제 예산을 이끌어내기 위한 한국인 의원들의 격렬한 논쟁과 그 결실에 이르기까지 여러 가지 숙고할 만한 지점들을 보여주고 있다.

그러나 한편으로, 1932년 천정 사건의 경험을 토대로 광주 지역사회가 그나마 계획적인 정책을 통해 마련했던 '학강정 갱생지구'에 대한 해석 문

39 「1936년 천변 빈민들이 집단이주, 학동에 전국 첫 갱생지구」, 『광주일보』, 2012. 9. 5.

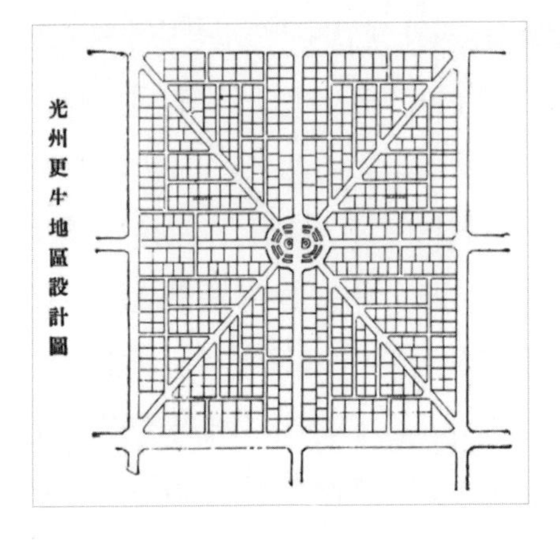

1936년 광주부가 설계했던 학강정갱생구역 설계도면. 갱생지구는 이 설계도면대로 만들어졌으며, 이후 '학동팔거리'로 불리다가 2009년 아파트가 들어서면서 사라졌다.〈자료출처 : 『동아일보』, 1936. 4. 21.(4면)〉

제는 다소 논란거리가 될 여지를 갖고 있는 것이 사실이다. 이는 이 갱생지구가 다른 빈민부락과는 달리 애초에 빈민들의 생활갱생을 도모하는 "특정지도구역"[40]으로 설정되어 있었다는 것과 관련된다. 때문에 이 지구가 보여주는 '8거리'라는 독특한 공간구조 또한 "갱생지구의 주요 구성원인 빈궁민들을 잠재적인 범죄인으로 간주하고 통제와 감시기능을 용이하게 하기 위해 일망 감시시설의 기본 개념을 차용"[41]하고 있는 것으로 읽히기도 한다.

만약 이러한 논란을 뒤로하고 도시빈민과 관련된 지역정책적 측면에서만 보자면, '학강정 갱생지구'는 1932년 천정 사건에 비해 진일보한 측면을 보여주고 있는 것은 분명하다. 전술한 바와 같이 일제강점기 내내 아무런 대책 없이 도시빈민부락이 철거됨으로써 빈민들이 그대로 노천에 방

40 '학강정 갱생지구'에는 1937년부터 방면위원을 두고 사무소가 설치되었으며, 면서기를 주재시켜 조사 및 지도의 기능을 담당하게 했다. 지도방침은 직업, 생활지도, 가족상황 등을 조사하고, 노동력을 감안하여 호주회, 부인회, 근로조, 저축조합 등으로 조직하였으며, 정례집회를 시행했었다(광주직할시사편찬위원회, 앞의 책, 284쪽).

41 한승훈·천득염, 「일제강점기 학동팔거리 갱생지구의 공간 구성에 관한 연구」, 『대한건축학회논문집』 26-2, 2010, 160쪽.

치되거나 혹은 도시 외곽으로 반복해 쫓겨남으로써 노동기회마저 박탈당하는 것이 비일비재 했던 상황에서, 그나마 '학강정 갱생지구'는 "조선 효시의 계획"이라 불릴 만큼, 지역행정 차원에서 행해진 계획의 산물이었기 때문이다. 더불어 광주가 빈민정책에 있어 이런 정도나마 결과를 이끌어낼 수 있었던 데는 4년 전의 '천정 궁민가옥 철거' 사건이 준 경험이 한몫을 단단히 했었음은 물론이다. 이와 관련하여 '갱생지구' 예산 처리 당시 부의회를 진행했던 부의장이 4년 전 천정 사건 때, 광주읍장이었던 바로 그 오촌신길(奧村信吉)이었다는 점은 아주 흥미로운 사실이다. 그에게는 4년 전의 악몽 같은 경험이 학강정 갱생지구 예산처리 과정에서 떠올랐을 것이고, 한국인 의원들의 격렬한 반응에 그 자신이 정회와 개회를 선언, 결국 예산안이 통과되는 것을 스스로 승인해야 했던 것을 생각하면, 정책당사자로서의 일본인 개인에게도 빈민정책에 대한 사고(그것이 자의든 타의든)를 새롭게 하는 기회가 됐을 것이다.

위의 두 측면을 고려했을 때, 천정 궁민가옥 철거에서 학강정 갱생지구에 이르기까지의 광주 지역의 경험은 빈민정책의 측면에서 진일보의 과정으로 볼 것이냐, 아니면 한국 빈민들을 일괄적으로 감시, 관리하기 위한 체제의 발견 과정으로 볼 것이냐, 라는 과제를 우리에게 던져주고 있다. 이에 대한 치밀한 해석과 역사적 평가에 대한 문제는 다음 연구로 남겨두기로 한다.

참고문헌

1. 기초자료

『광주일보』, 『동아일보』, 『매일신보』, 『조선중앙일보』, 『중앙일보』

2. 논문 및 단행본

강만길, 『일제시대 빈민생활사 연구』, 창작사, 1987.

곽건홍, 「일제하의 빈민:토막민·화전민」, 『역사비평』 46, 1999.

광주민속박물관, 『일제강점기 광주문헌집』, 2004.

광주직할시, 『광주도시계획연혁』, 1992.

광주직할시사편찬위원회, 『광주시사』(제2권), 1993.

김경일, 「20세기 전반기 도시 빈민층의 형성」, 『한국 근대 노동사와 노동운동』, 문학과지성사, 2004.

박해광, 「일제강점기 광주의 근대적 공간 변형」, 『호남문화연구』 44, 2009.

서일수, 「1930년대 전반 궁민구제토목사업의 대도시 사례와 성격:경성·부산·평양을 중심으로」, 중앙대 석사논문, 2010.

한규무, 「오방 최흥종의 생애와 민족운동」, 『한국독립운동사연구』 39, 2011.

______, 「오방 최흥종의 신앙노선과 선교활동」, 『한국기독교와 역사』 48, 2018.

한승훈·천득염, 「일제강점기 학동팔거리 갱생지구의 공간 구성에 관한 연구」, 『대한건축학회논문집』 26-2, 2010.

제4장

식민도시화 정책과 오일장의 변화 과정 - 광주 양동시장 이전사(移轉史)

1. 경제적 통제대상이 된 오일장

우리나라에서 시장의 발생은 삼한시대까지 거슬러 올라가지만,[1] 현재 국내 각 지역에서 흔히 오일장이라는 이름으로 개설되는 장시(場市)가 처음 시작된 것은 15세기 후반으로 알려져 있다. 공식적 기록으로는『성종실록』성종 4년(1473)에 전라도 무안과 나주 지역에서 열린 것으로 보이는데, 처음에 장시가 형성되었을 때는 보름 간격으로 매월 2회 개설되었다. 이후 시장이 열리는 곳이 증가하고 농민의 교역 활동이 활발해지면서 장이 열리는 횟수도 늘어나게 된다. 15일장에서 10일장으로 장이 열리는 주기가 짧아지다가, 18세기가 넘어가면서 장시는 대개 5일 만에 한 번 열리는 오일장으로 통일되어 간다. 이 과정에서 각 지역마다 일정한 범위 내에서 4~5개의 장이 상호 간에 개시일을 다르게 하여 개설하는 등 나름대로 시장권이 형성되어 가는데, 17세기로 넘어가는 즈음에는 한 달 동안 장이

1 고대 시장에 대해서는 조병찬의『한국시장사』(동국대학교출판부, 2004)를 참조할 것.

서지 않는 날이 없다고 할 정도로 시장 수가 크게 증가했다. 전국적으로 오일장은 18세기 말에 전체 시장의 91.9%(1962개 중 968개)를, 19세기 초에는 전체의 86%(1052개 중 905개)를 넘어서고 있을 만큼 일반 민중들에게는 없어서는 안 될 중요한 생활문화 중 하나로 자리 잡는다.[2]

이러한 장시들은 한말까지 민간이 중심이 되어 자율적으로 관리·경영되어 오다가, 일제강점기에 들어서면서 공공적 경영이라는 명분 하에 식민지 행정체계 안으로 포섭된다. 일제는 한국 강점 직후 토지조사사업을 주도했던 '임시토지조사국'에서 동일한 시기에 시장조사를 병행한다. 1913년부터 1917년 사이에 실시되었으며, 조사보고서가 작성되었다. 토지조사사업이 식민지 농정을 수립하기 위한 기초 작업이었다면, 시장조사는 지방의 경제사정을 파악하여 식민지 물자유통체계와 경제구조를 구축하기 위한 기초조사였다. 특히 오일장은 한국인에게는 일상생활의 주요 구성요소였기 때문에 효과적인 식민통치를 위해서도 일제가 중시할 수밖에 없는 조사 대상이었다. 그리하여 1913년 10월에 조선총독부 농상공부 상공과가 〈시장취체규칙〉을 입안하여 관계 기관과 협의를 시작한 이래, 1914년 9월에는 총독부령 제136호로 〈시장규칙〉을 공포하였다. 이 법률 제정은 표면적으로는 무질서하며 위생상·풍기상 문제가 있는 한국의 시장현상을 개선하기 위한 조처라고 선전되었으나, 그 직접적 목적은 전국적으로 분포하면서 한국인의 생활과 깊숙이 연계되어 있는 오일장을 행정·경찰 기구로 하여금 관리·통제하려는 데 있었다.[3]

---

2 조선시대 장시에 관해서는 김대길의 『시장을 열지 못하게 하라』(가람기획, 2000, 11~37쪽) 참조.

3 허영란, 「조선총독부의 오일장에 대한 통제 및 활용과 그 한계-일제 식민통치에 대한 사회적 제약의 구체적 검토」, 『사학연구』 82, 한국사학회, 2006, 123~125쪽; 허영란, 「일제시기의 장시 변동과 지역주민」, 서울대 박사논문, 2005, 30~32쪽, 참조.

〈시장규칙〉에 근거한 조선총독부의 오일장에 대한 관리·통제는 한국인들의 일상문화적 공간이자 동시에 정치적 담론의 장으로서 기능을 갖고 있었던 공간에 대한 통제였으며, 시장사용료의 효율적 징수와 관련된 경제적 통제이기도 했다. 동시에 일제강점기 동안 오일장은 조선총독부의 식민행정체계와 관련된 시구개정의 개편, 토지 및 도시계획, 도로나 철도 등 교통계획 등에 따라 폐지·이전·병합되기도 하고 공영시장화·상설화 되면서 오일장으로서 성격을 상실하는 등 식민정책에 직접적으로 영향을 받게 된다.

이 글은 바로 위와 같은 과정을 복합적으로 보여주고 있는 광주 지역의 양동시장[현재 명칭, 당시 천정(泉町)시장]을 다루고자 한다. 양동시장은 광주광역시 양동에 위치한 시장으로, 해방 이후에는 한강 이남에서 가장 규모가 큰 시장이었을 만큼 도매시장으로서의 명성을 이어오다, 현재는 호남권을 대표하는 시장으로 알려져 있다. 양동시장은 크게 두 번의 공간 이전의 역사를 갖고 있는데, 모두 일제강점기 때 이루어진 것이다.

양동시장의 연원은 최소한 1800년대 이전부터 광주천변에서 개시되었으리라 추정되는 두 개의 오일장(큰 시장, 작은 시장)까지 올라간다. 원래 광주 도심을 관통하는 광주천 부지에서 열렸던 두 오일장은 1925년부터 진행된 광주면(面)의 도시계획인 '대광주건설계획'에 따라 광주천이 직강화되면서 시장 부지가 없어지자, 1931년 현재의 사직공원 앞으로 이전하면서 두 오일장이 통합되어 정주적 신식시장이자 동시에 행정관청의 통제를 받는 공영시장으로서의 성격을 띠게 된다. 그러나 당시 시장이 설치된 위치가 일제의 신사가 있던 자리였기 때문에, 소위 '신성한 구역'에 불결한 시장이 있을 수는 없다는 논란이 일면서 다시 1940년대 초에 천정(泉町)에 있던 공설운동장(현재 양동시장 위치)으로 이전한다. 이는 물론 신사의 종교경관을 포함, 식민지적 지배의 시각적·상징적 효과와 연동된 것이었다.

이렇듯 양동시장의 역사는 단순한 시장 공간이동의 역사가 아니라, 여기에는 총독부의 〈시장규칙〉과 관련된 시장 통제와 관리제도는 물론, 광주의 도시계획, 〈광주읍 시장사용규칙〉과 시장사용료 정책, 광주신사 부지와 관련된 종교경관의 정치 등 다양한 요인들이 결부되어 있음을 알 수 있다. 양동시장 공간 이전과 관련된 위와 같은 요소들을 추적하면서 전통적인 오일장이 일제강점기의 식민도시화 정책에 의해 어떻게 변화해나가는지를 밝혀보고자 한다.

2. '대광주건설계획'과 하천정비사업[4]

현재 광주천의 모습은 일직선으로 뻗은 형세이지만, 원래 1920년 초까지는 백사장이 여기저기 분포된 사행천이었다. 광활한 벌판과 백사장을 끼고 있는 덕분에 이곳은 토착민들에게 대대로 중요한 생활공간이었다. 관개용수의 수원이자, 방앗간의 동력원이었으며, 방목지이기도 하고 놀이터나 휴양지이기도 했고, 무엇보다 생활물품이 매매되는 오일장이 서는 곳이었다. 이렇게 보면, 광주천은 당시로서는 일종의 복합문화공간이었던 셈이다.

광주천이 거의 일직선으로 정리되기 이전에는 학동 천변에서 임동 천변에 이르기까지는 구국양장의 굴곡된 요소에 넓은 강변이 있었다.

4 2장의 내용은 『광주시사』 제2권(광주직할시사편찬위원회, 1993) 중 '제3장 건설'편(173~261쪽, 전남대 김광우 교수 집필)을 참조, 광주천 정비사업을 중심으로 재구성한 것이다. 따라서 다른 자료에서 인용한 것 외에는 따로 각주를 달지 않기로 한다.

> 학동 최상류의 강변은 민밋들이오, 명락강변은 학동 철교에서 금동 시장 앞의 넓은 벌판이다. 불로교에서 구 광주교 못 미쳐 소시장과 천변 사이에 있는 광장은 작은 장터요, 구 광주교에서 사이인 큰 장 입구인 넓은 터에 철로 다리 밑 광장이 있었고 (중략) 강변에서는 추석이나 정월보름이면 이 백사장에서 줄다리기를 했고, 불놀이, 농악놀이 등의 민속잔치가 벌어졌다. (중략) 상류 연안이 모두 벌판인데 우마의 방목지요 시민의 놀이터였다. (중략) 남도극장에서 나와 금동시장으로 굽어 돌아가는 지점인데 양림동으로 물을 건너가는 어구요 물방아도 있었던 곳이다. (중략) 여름철엔 이 보(洑)의 주변에 고목이 늘어 있어 광주시민의 유일한 납량지가 되어 있다.[5]

구곡양장의 굴곡과 드넓은 벌판, 백사장이 사라지고 광주천이 현재와 같은 직선의 모습으로 변모한 것은 1920년대 중반부터 진행된 광주면(面)의 '대광주건설계획' 중 하나였던 '하천정비사업'을 통해서였다.

1919년 3·1운동의 여파로 1920년대 들어 총독부는 문화정치를 표방하면서 '지방자치제의 실시'를 위한 지방관제의 개혁을 단행하기에 이른다. 그 일환으로 개정된 면제에 의거, 광주에서 면협의회 회원 선거가 치러진 것은 1920년 10월 20일이었다. 1917년 이래 지정면에 설치된 '관선 상담역'에 비하여 사회적 정당성을 어느 정도 갖춘 '민선협의회'가 조직됨으로써 앞으로 면(장)이 추진하게 될 각종 개방사업을 위한 협의기반이 마련된 것이다.

1920년 7월 29일자 조선 총독부령 제103호로 면제시행규칙이 개정되면서 본격화된 광주 면협의회의 선거전에서 제일 큰 이슈로 등장한 것은

5 광주천에 대한 최윤상의 회고 중에서 발췌(위의 책, 245~246쪽에서 재인용).

'대광주건설'이었다. 동년 9월에 들어서면서 광주에 콜레라가 만연하여 환자 130명 중 60명 사망이라는 신문보도와 함께 광주자혜의원장 및 광주경찰서장은 「대광주건설과 희망」이라는 제목의 신문 인터뷰 기사를 통하여 위생사상의 보국과 하수시설의 긴요성을 강조하기에 이른다. '대광주건설'이 공식적으로 면협의회에서 논의된 것은 1921년 1월 19일이었다.

> 광주면사무소에서는 지난 19일 오후 1시부터 2회의 협의원회를 개최, (중략) 길촌(吉村)면장, 창품(倉品)군수의 제창에 관련된 광주 시가정리위원회설치건에 대해서 일동과 상의한 바 있었다. 지금 들리는 바에 따르면, 예산은 1920년도의 8천여 원에 비하여 1921년도에는 총액 1만 6천여 원이 계상되었다 한다. 신시설로서는 소방대경종대개선신축, 화장장신영, 도축장경영, 면직원증급, 시장정리 등이 있고, (중략) 시가정리위원회의 설립과 관련하여서는 1921년도 내의 수행사업으로서 수기옥정 및 기타 일부의 시구(市區)개정, 대소시장병치정리, 하수시설 등 3대 문제가 있는데, 광주면은 이를 위하여 내선민 일반의 절대 찬성과 후원 하에 기채를 단행하고 또한 일반 부과를 증징하거나 국비 보조 등을 기대하며 대광주의 건설에 노력할 것이라고. 이전될 큰 장의 지적은 전부 수비대의 연병장으로 충당할 예정이다. 그리고 22일 오후 1시부터 보통학교에서 위원회 총회를 개최하게 되었는데, 당일 집합자는 시내 관공위대표자, 정내총대(町內總代), 학교조합의원, 면의원, 신문기자 등 70여 명에 달하였고 석상회장, 부회장, 상근원 약간 명을 선출하여 대광주 건설을 목적으로 협의에 몰두하였다.
>
> -「대광주계획협의」, 『조선신문』, 1921. 1. 25.

위의 기사에 따르면, 1월 19일에 개최된 면협의회의 주요 안건은 광주군수 창품익태랑(倉品益太郞)와 광주면장 길촌궤일(吉村軌一)에 의해 제창된 '시가정리위원회설치건'이었으며, 이 위원회가 실행해야 할 익년(1921년)의 사업으로 시구개정, 대소시장병치정리, 하수시설 등 3대 문제를 꼽고 있다. 또한 이 사업들이 '대광주건설'이라는 이름으로 명시되고 있음을 알 수 있다.

그런데 이날 면협의회에서 '시가정리위원회설치건'이 통과된 직후인 22일, 위원회 총회가 열릴 만큼 대광주건설은 이들에게 상당히 시급하고 중요한 일이었음을 추정할 수 있다. 이와 관련하여 위의 기사에서 또 하나 주목할 것이 있다. '대소시장병치정리'란 당시 광주천 백사장에 섰던 2개의 오일장(큰 장, 작은 장)을 이전한다는 것인데, 대신 큰 장의 자리를 수비대의 연병장으로 활용할 예정이라는 것이다. 이를 보면, 연병장의 필요와 시장 이전이 직결되고 있음을 알 수 있는데, 위원회 총회가 있었던 다음 달인 2월 1일자 신문 기사는, 두 사안의 관련성을 보다 구체적으로 보여주고 있다.

> 전남광주에는 1개 대대의 독립수비대가 설치되어 있지만 그중 3개 중대는 항상 각지에 주둔하고 있으므로 광주에는 1개 중대의 병(兵)과 대대본부만이 주둔하고 있는 것에 불과하다. 따라서 종래에는 구태여 연병장이라고 할 만한 것이 그다지 필요하지 않았으나 이미 독립대대가 된 이상 신입병에 대한 교육은 그 대대에서 행할 필요가 있다. 따라서 작년 12월 신입병에 대해서도 원칙적으로 광주 수비대에서 교육을 실시해야 하는 것이 마땅하나 연병장도 없고 소요 병기도 갖추어져 있지 않기 때문에 신입병의 교육을 대구에서 행하였던 것이다. (중략) 게다가 조선에 사단을 증설한다는 논의가 있는 마당에 그때가 닥치면 남조방면의 중요지인 광주에 병력도 증가할 것은 당연하다. 신설 사단이

가령 북조에 설치되어 관구를 달리하게 될지라도 전 조선의 수비를 위하여 광주의 병력은 장래에 반드시 지금 이상으로 증가되지 않을 수 없다. 이런 경우 광주에는 필히 상당한 연병장이 필요하다. 증원되지 않을지라도 전기한 대로 당연한 책무로서 신병을 훈육하기에 충분한 연병장을 설치하는 것은 중대한 문제로 되어가고 있는 것이다. 연병장의 설치는 군의 소관이므로 일체의 경비는 그 지변에 속한 것이라고 하더라도 군의 예산은 여전히 따로 급을 호소하는 것이 있으므로 광주의 유지는 이 점을 살펴서 관민 협력하여 어떻게 해서든지 빨리 연병장 설치를 완료하고 싶은 것이다. 그러려면 시장의 정리 문제와 관련해서 현재의 대시장의 토지를 연병장으로 하고 대시장은 소시장과 합병한다면 좋을 것이다 라고 하는 것은 모 유력자의 이야기이다.

－「광주연병장 확장 필요 신병훈련 불편=시장 이전설」,『경성일보』, 1921. 2. 1.

'모 유력자'의 입을 빌어 광주면 연병장의 필요성을 구구절절 설명하고 있지만, 요지는 하나다. 광주면이 독립대대를 갖고 있으니 신병 훈련을 위한 연병장이 필요하다는 것, 남쪽의 수비를 위해 병력 증가가 예상되니 더더욱 필요하다는 것이다. 따라서 현재의 큰 장을 작은 장과 통합하고, 큰 시장의 부지를 연병장으로 활용하자는 것이다. 여기서 우리는 아주 중요한 2가지 사실을 파악할 수 있다. 첫째, 당시 이들이 생각했던 시장 이전이라는 것이 큰 장을 작은 장 자리로 합쳐 옮기는 것일 뿐, 대대적인 규모의 하천정비사업까지는 생각하지 않았다는 것이다. 둘째, 위의 모든 내용이 일본인 광주군수(창품익태랑)와 광주면장(길촌궤일)에 의해 제창된 '대광주건설'의 방향을 그대로 이어받아 '모 유력자'의 입을 통해 반복되고 있다는 것이다.

먼저 첫 번째 사안을 살펴보기로 하자. 광주면에서 하천정비 관련 사업을 추진하기 시작한 것은 1923년 4월 광주면의 구역이 확정된 직후였다.[6] 동년 6월 30일에 광주면은 '광주천 개수공사 및 하수구 신설공사' 명목으로 국고보조를 신청한 것이다. 그런데 사업규모와 보조비가 축소[7]되는 바람에 별 성과는 거두지 못하게 된다. 그러던 중, 1925년 1월에 창품익태랑이 광주면의 새 면장으로 부임한다. 창품익태랑은 1920년대 초, 광주군수로 재직할 당시 '대광주건설'을 제창했던 자이다. 그가 공직생활을 끝내고, 광주면장으로 다시 복귀한 것이다. 창품익태랑은 광주면장에 취임한 그해에 광주면의 정문(定紋)을 제정하고 광주면사무소 신청사를 건축하게 되는데, 이때 신청사 준공을 기념하기 위해 『광주의 금석(今昔)』이란 소책자를 발간한다. 그리고 이 책자에 그의 숙원사업이었던 대광주건설계획의 요체인 '시가미화정화 면삼대계획'을 제시한다.

시가미화정화 면삼대계획

1. 하수도건설	예산액	12만 원	
2. 하천개수		16만 원	부; 대운동장 신설
3. 시장정비		5만 원	

(비고) 목하, 기사(記事)를 촉탁하여 실시설계중, 오는 1926년부터 구체화

1920년 초 당시 제기되었던 3대 문제(시구개정, 대소시장병치정리, 하

6 일제강점기에 광주는 두 번에 걸쳐 구역 확장이 진행된다. 1923년 제1차 확장으로 효천면(교사리 일부, 양림리 일부), 지한면(홍림리 일부), 서방면(동계리 일부, 신안리 일부)이 편입되며, 1935년 제2차 확장으로 서방면(장호리, 동계리, 풍향리의 일부), 지한면(홍림리의 일부), 효천면(방림리, 벽도리의 일부, 주월리의 일부), 극락면(신풍리의 일부, 내방리의 일부, 운암리의 일부)이 편입된다. 행정구역의 확장으로 인해, 1912년 광주면적은 약 2㎢에 불과했던 데에서, 1923년에는 4.5㎢, 1935년에는 19㎢가 되면서 오늘날의 시가지 밀집지와 거의 일치하게 되었다(광주직할시, 『광주도시계획연혁』, 1992, 47~48, 73쪽.).

7 총독부 결과는 8월 21일자로 '금정지내 광주천(42평)'에 대하여 '교량 가채용지 및 하천 정리'라는 목적과 "허가일로부터 10일 이내 착수하여 동년 10월 31일까지 준공"한다는 내용으로 "공유수면매립면허"를 받았을 뿐이다.

수시설)가 하수도건설, 하천개수, 시장정비로 일부분 바뀐 것 같지만, 하수도건설은 근본적으로 시구개정과 관련된 것임을 감안하면, 사실 동일한 내용이라 할 수 있다. 다만 하천개수라는 내용이 추가된 것이다. 그런데, 여기서 하천개수와 시장정비가 나란히 들어가 있다는 것은, 그 이전의 대소시장병치정리사업과는 성격이 완전히 달라졌음을 의미한다.

'하천개수'는 현 사직공원 앞 철부 금교 부근에서 현 양동시장 부근까지의 광주천 폭을 좁혀 직선화하고 천변도로를 개설하는 것은 물론 당시 일등도로인 광목선을 철도역(현 구역)과 직결하기 위한 '신광주교'(현 광주대교) 교량가설공사 및 구역전통(당시의 수기옥정 부분)의 도로신설공사와 묶여 있는 사업이었다. 더불어 매몰될 하천용지 및 토지를 매립하고 새로 구획하여 시장, 상가, 공장, 운동장 등 시설용지 및 일반대지로서 분양하려는 광주 최초의 (신)시가지개발사업이었던 것이다. '시장정비'는 하천의 매립부지에 2개의 오일장을 통합해 이전한다는 계획을 가리킨다.

1920년 초에 단순히 작은 장 자리로 2개의 오일장을 병합하고, 큰 장의 부지에 연병장을 설치하려던 계획이 불과 몇 년 만에 이렇듯 확장된 것은 당시 폭발적으로 늘어나기 시작했던 인구변화에 따른 것이기도 했다.[8] 한편으로, 이와 같은 내용의 '면삼대계획'은 대대적인 토목공사와 그에 따른 특정그룹의 특혜를 예고한 것이기도 했다. 이 문제는 앞서 언급한 두 번째 사안인 '연병장 설치 필요성'을 주장했던 '모 유력자' 그룹과 관련된다고도 볼 수 있다.

1910년대에 조선총독부는 제국주의적 필요성에 입각해 조선의 전 국토를 개선하기에 급급했고, 이를 위해 각종 토목사업을 직접 경영해나갔다. 이후 1920년을 전후하여 지방행재정제도가 정비되고 신건설 또는 개조된

8 1910년도 광주의 인구는 12,256명이었으나, 1920년엔 15,507명, 1925년이 되면 23,734명이 된다. 15년 사이에 2배로 증가한 것이다. 1930년엔 3만 명을 돌파하면서 광주면은 광주읍으로 승격하게 되고, 1935년엔 5만 명을 넘어서면서 광주부로 승격한다.

식민도시의 사회적 구조가 안정되어 나감에 따라, 각종 도시적 시설경영의 주체를 부(府) 및 지정면 위주로 하고 각종 개발사업에 일본의 민간자본이 참여할 수 있도록 하면서 '허가' 및 '보조'를 통하여 전국적인 통제를 기하는 방식으로 전환해 나갔다. 광주면의 '대광주건설' 이슈는 이렇듯 총독부의 지방도시정책이 변화하는 시점에서 제기된 것이었다. 여기에서 대대적인 토목공사에 대한 민간자본 참여가 의미하는 바는, 지방 유력인사들로 하여금 자신의 지역에서 그런 공사가 가능하도록, 공식적·비공식적 차원에서 다양한 압박과 로비, 특혜, 금품수수가 오갔음을 충분히 추정케 한다는 것이다.

실제로 광주면에서는 면삼대계획과 관련된 국고보조를 따내기 위해 면장은 물론이거니와 당시 광주면의 유력인사 그룹이었던 '광주번영회'[9]가 핵심적으로 움직였었다. 광주면이 1925년에 "본 면의 광주천 개수공사 및 하수구 신설공사는 시가지 계획상의 기준으로 보아 또한 장차 위생설비로서 모두 긴급 시설될 필요 있다"는 내용으로 국고보조를 신청할 당시, 동년 7월 11일에 광주번영회는 면회의실에서 회의를 개최해, 이에 대한 다양한 압박 방식을 결정한다. 창품익태랑 면장과 더불어 지역대표로 송전덕차랑(松田德次郎)과 현준호 도평의원이 상경해서 총독부에 진정하는 한편,[10] 각 정통(町洞)에서는 운동비의 거금을 주선하고 대표자는 도지사를 방문하여 진정하기로 한 것이 그것이다. 어떻든 이 방식이 주효했던지, 광주면은 상기의 두 가지 공사를 '시가미화정화 면3대계획'이라는 이름하에 1926년도 이후 3개년에 걸쳐 실시하기로 하고 실시설계에 착수할 수 있었다.

이러한 과정을 통해 시장 정비와 연동되어 있는 하천정리사업은 1926년부터 1928년까지 3년에 걸쳐 진행되었으며, 공사구간은 '금교'에서 '누

9 '광주번영회'에 관해서는 이 책의 제1장과 제2장을 참조할 것.
10 송전덕차랑과 현준호는 당시 광주번영회 평의원으로 같이 활동하고 있는 중이었다.

문천' 유출구까지 좌·우안 모두 합쳐 3㎞에 이를 만큼 방대한 규모였다. 이 직강화 공사가 끝난 매립지에 두 개의 오일장이 통합, 이전한 것은 1931년이었다.

3. 비정주적 오일장의 정주적 신식시장화

광주천 정비사업에 따른 시장 정리

현재 양동시장의 출발은 광주천 백사장에서 열렸던 2개의 오일장(큰장, 작은 장)을 기원으로 한다. 이 두 개의 장과 관련하여, 『광산읍지(光山邑誌)』(1805)를 비롯해 『임원십육지(林園十六志)·예규지(倪圭志)』(1835), 『광주읍지(光州邑誌)』(1899) 등 다양한 문헌들에서 '邑市有大小市'라는 방식으로 기록되어 있다. 이로 볼 때, 정확한 형성 시기는 알 수 없지만, 이미 1800년대 이전부터 장이 존재했었음을 충분히 추정할 수 있다.[11] 지금의 부동교(옛 지명은 서문 밖 부동방) 방면 넓은 백사장에는 작은 장인 '부동방장(읍소시, 4, 9장)'이 섰고, 여기서 광주천을 타고 내려가면서 현재의 한일극장터와 현대극장(옛 지명은 공수방) 사이에 큰 장인 '공수방장(읍대시, 2, 7장)'이 섰다. 작은 장엔 주로 화순 방면에서, 큰 장은 나주와 영광 방면에서 장꾼들이 모여들었으며, 특히 큰 장은 당시 광주군 제일의 시장이었다고 한다. 장날에 모여든 상매 및 구매자 수는 수천

11 1917년에 작성된 『광주지방사정』에서는 두 오일장의 연원을 "백제시대부터 계속"되어 왔던 것으로 추정하고 있다(광주민속박물관, 앞의 책, 60쪽.). 현재 확인할 수 있는 최초의 공식적인 기록으로는 강항이 쓴 「광주향교 상량문」과 『광주향교지』에서 광주장터에 대한 언급을 찾을 수 있는데, 이 기록을 참조하면 1488년 이전까지 장터가 광주읍성 내에 있다가 어느 시기에 읍성 밖으로 옮겨진 것으로 추정된다(광주광역시립민속박물관, 『광주 장날』, 2017, 24쪽).

명에 이르렀으며, 물자는 미곡을 중심으로 한 농산물, 수산물, 직물 등 다양한 종류가 모여 일상 수요에 불편함이 없었을 정도였다. 부동장과 공수장을 합쳐 거의 격일로 열리고 있었음을 알 수 있으며, 이는 정기시가 이미 상설시장화하고 있음을 말해준다.[12]

앞에서 살폈던 '하천개수 및 시장 정비'는 이 두 개의 오일장을 통합해 현재 사동(당시 향사리)의 매립지로 이전한다는 계획과 관련된 것이다. 그 계획은 향사리 매립지의 시장 부지에 종래의 오일장 상인들을 대량 수용할 수 있도록 간단한 상설 점포를 주위에 시설하고, 중앙은 노점부로 하여 일용품 시장으로 사용하며, 그 옆에 있는 교사리(구 구강정, 현 구동) 부지에는 주위에 철조책을 시설하여 '신탄시장'을 조성한다는 내용이었다.[13] 일용품시장의 노점부와 신탄시장은 매월 12회 사용되도록 계획되었다. 일용품시장은 이 일대의 행정명이 1930년 4월 시가구획정리에 따라 '향사리'에서 '사정(社町)'으로 바뀌었기 때문에 이후 '사정시장'[14]으로 불리게 된다.

오일장이 근대화 시설을 가진 사정시장으로 이전한다는 것은 노상에서 벌어지던 장이 일정 규모의 건축물로 들어선다는 것을 의미했다. 따라서 광주면에서는 하천정리가 마무리될 무렵인 1928년 초에 시장부지에 주택 겸 점포 기지 67구(1구당 20평 표준)를 민간에 대부한다고 광고를 하게 된다. 신청 기일인 3월 10일까지 55건이 접수되었으며, 기간 신청이 끝난 후에도 16건이 추가 접수되었다. 그런데 시장 부지 입주자를 선정하는 과정에서 특혜분양 사건이 일어난다. 이 사건의 중심에 서 있는 인물이 바로

12 이 부분에 관한 자료로는, 위의 책, 66~67쪽; 박선홍, 『광주 1백년(1)』, 광주문화재단, 2012, 219쪽을 참조.

13 광주직할시사편찬위원회, 앞의 책, 252쪽.

14 '사정시장'이란 명칭 또한 시장이 사정(社町)으로 이전한 후에야 불리게 된 것이며, 이전 계획이 면당국에 의해 공식적으로 거론되고 사정에 개포되기 이전까지는 '광주시장' 혹은 '광주읍영시장'이란 명칭으로 불렸었다.

'대광주건설계획'의 주창자이자, 당시 광주면장이었던 창품익태랑이었다.

사건의 발단은 창품 면장이 부지 분양 신청자 중 죽중진삼(竹中辰三)이라는 일본인 건설업자에게 시장부지 중에서 가장 길목이 좋은 장소 2구(40평)를 독단적으로 결정, 분양해버린 것에서 시작한다. 한국인 부면장(박계일)도 이 사실을 알지 못한 상태에서 진행된 것이었기 때문에, 누가 봐도 특혜 의혹을 받을 수밖에 없었다. 더욱이 이 땅은 기존에 한국인 조양환의 연고지였던 곳으로, 그 또한 분양신청을 기일 내에 접수시켰었으나 이를 이유 없이 기각시켜버린 상태에서 일본인에게 넘겨버렸기 때문에 한국인들에게는 분개할 이유가 충분했다.[15] 이에 상인 40여 명이 4월 5일 오후 1시에 광주면사무소로 찾아가 창품 면장과의 면담을 통해 분양과 관련된 부당한 처리과정을 항의하지만, 몇 시간 동안 면장은 이리저리 발뺌하다가 오후 4시경 다른 일이 있다며 자리를 피해버린다. 면장의 태도에 격분한 상인들은 그 자리에서 임시의장(최남립)을 추천해 "면당국의 온당치 못한 처치와 모호한 태도를 묵인치 못하겠으니 시민대회를 개최하여 태도를 결정하는 것이 좋겠다"는 결의를 한다. 동시에 대회를 준비할 준비위원 13명을 선정해 제반 준비를 일임하고 5시에 산회한다.[16]

사건 후속 조치로 광주상민대회가 열린 것은 4월 10일 오후 3시였다. '시민대회'라는 명칭이 갑작스럽게 '광주상민대회'로 명칭이 바뀐 것은, 상인들이 대회를 준비하던 중 광주경찰서에서 이에 개입한 결과였다. "그만한 일

15 하천정리를 하면서 당시 오일장 부지에 집을 짓고 장사를 해오던 1백~3백여 호가 철거를 당하게 되는데, 이때 당시 면당국에서는 새로운 시장으로 이전할 때, 이들에게 우선적으로 부지를 대부해줄 것이라는 약속을 한다(「광주시장 기지 문제로 광주시민 분개 궐기」, 『매일신보』, 1928. 4. 9.). 그런데 이 땅과 전혀 연고가 없는 일본인 죽중진삼과 관련된 특혜분양사건은 한국인들에게 그 약속을 어기는 상징적 사건으로 인식될 수밖에 없었다.

16 분양특혜 사건과 관련된 자세한 내용은 위의 기사;「부면장도 모르게 요지를 죽중(竹中)에 대부-창품면장의 독단이라고 시민대회 준비」(『동아일보』, 1928. 4. 7.);「광주시장 정리와 창품면장의 횡포 처단」(『중외일보』, 1928. 4. 9.)을 참조.

로 시민대회로 개최할 것까지 없으니 상민대회로 하라"는 지시가 내렸던 것이다. 그러나 정작 이날 대회가 열린 광주사립보통학교에는 상인뿐만이 아닌 시민들까지 약 400~500명의 사람들이 운집할 만큼 이 사건은 지역적 이슈가 된다. 또한 사태의 심각성을 인지한 광주경찰서에서도 경관들을 총출동시킬 정도로 중대한 사안이기도 했다. 광주경찰서의 개입은 이 대회장 안에서도 행해진다. 상인들만 발언권이 있으며, 그 이외 누구에게도 발언하는 일이 없도록 명령을 내린 것이다. 그런데 상인들의 발언이 장시간 진행되던 중, 당시 이곳에 참석 중이던 서우석이 발언을 시작하면서 대회는 경찰에 의해 강제 중단된다. 상인이 아닌 자가 발언을 했다는 이유 때문이었다.

> 장내는 전에 보지 못한 긴장을 띤 중에 준비위원측 대표 최남립 씨가 개회를 선언하자마자 임석 경관(광주경찰서 고등계관부장 이하 총출동)으로부터 상민 이외에는 물론 수모(誰某)라도 발언권이 없을 것이며 탈선되는 일이 없도록 주의하라는 명령을 내린 후 경과보고가 있었으며 협의사항에 들어가서 면당국의 불공평한 처치가 백출하여 장시간 논의가 계속되다가 만장일치로 좌기 2항을 결의하고 집행위원 10명을 선정하여 3일 이내에 집행케 한 후 상민이 아닌 서우석 씨가 회중의 동의를 얻어서 "들은 바에 의하면 방금 소위 면당국의 허가를 얻어가지고 신축공사를 진행 중에 있다는 죽중에 대해서는 창품면장이 독단적으로 허가하였으며 면사무소 내에서도 법적 수속을 거치지 않았다한 즉, 그 소위 허가를 오인(吾人)은 부인하는 동시에 그 건축공사를 중지 운운"할 때에 임석 경관은 서우석 씨의 의견을 중지시키는 동시에 대회까지 중지시켰으므로 일반은 경찰의 무리한 간섭과 고압적 태도에 심히 분개하였으나 할 일없이 동 6시경에 해산하였다더라.
>
> –「시민대회는 금지 상민회는 중도 중지」,『동아일보』, 1928. 4. 12.

경찰은 대회를 중단시키면서 동시에 즉석에서 바로 최남립·서우석·강태성 등 3명을 검속시켜버린다.[17] 그러나 비록 대회는 강제 해산되었지만, 여기서 상인들은 2가지 사항을 결의한다. ①창품 광주면장의 불신임안을 제출할 건, ②감독관청에 그 부당한 처치를 취소하도록 진정 급 교섭할 건 등이 그것이다. 사실상 이 내용은 창품 면장의 책임을 묻는 것이었으며, 그의 해임을 요구한 것이었다. 광주상민대회와 주요 인물들의 구속이 잇따르자, 광주면에서는 4월 16일에 긴급 면협의회를 개최하게 되는데, 이날 회의는 한국인과 일본인 면협의원들의 입장이 갈리면서 양측의 대결 양상을 띠게 된다. 장시간 동안 팽팽한 논쟁 끝에 한국인 의원 5명이 즉석에서 총 사직서를 제출해버리는 사태가 벌어지는 등 사건은 일파만파로 확장된다.[18] 이에 창품 면장은 4월 20일, 일본인에게 대부한 허가를 취소하는 동시에 연고가 있는 한국인에게 대부한다는 결정을 내린다.[19]

그런데 창품 면장의 문제는 비단 시장 부지 특혜분양사건에만 걸리는 것이 아니었다. 그가 주도했던 하천개수사업은 전반적으로 부실과 비리로 가득했다. 매립지의 성토공사가 부실한 것은 물론, 하천 바닥을 굴착하기로 한 공사계획도 불성실하게 처리된 데다, 공사 청부업자에게는 과도하게 공사비를 지급한 사실이 드러난 상태였다.[20] 이 때문에 공사가 진행되던 중에도 면당국과 의원 사이에 논란이 일곤 했었다. 여기에 결정타를 입힌 것이 바로 시장부지 특혜분양 의혹사건이었다. 결국 하천개수 및 시장정비 사업은 전형적인 토건비리사건으로 비화됐고, 사업을 주도했던 창품

17 「삼인검속」, 『동아일보』, 1928. 4. 12.

18 「광주면 조선인 의원 총 사직」, 『매일신보』, 1928. 4. 23.

19 「광주시장 기지 문제, 필경 원만 해결」, 『매일신보』, 1928. 4. 26.

20 광주직할시사편찬위원회, 앞의 책, 250~251쪽; 광주광역시립민속박물관, 『국가기록원 소장자료로 본 일제강점기 광주의 도시변천』, 2013, 139쪽, 참조.

1931년 9월 4일 개시된 사정시장(광주읍영시장)의 모습〈사진출처 : 『조선신문』, 1931. 9. 6. (7면)〉

광주면장은 1929년 9월 사임하게 된다.

이와 같은 우여곡절을 겪은 끝에 사정시장이 문을 연 것은 1931년 9월 4일[21]이다. 부지 8,450평에 점포 170칸을 지어 소위 근대적 시장으로, '비정주적 오일장'에서 '정주적 신식시장'으로 탈바꿈된 것이었다. 종래의 큰 장, 작은 장을 합친 상태였기 때문에 장날은 2·4·7·9일로 단일화했다. 당초에 일제는 사정시장을 매일 개시되는 상설시장으로 만들려 했으나,[22] 상인들은 물론 시민들 또한 종래의 관습 때문에 장날 이외에는 개시되는 일이 없어지자, 매월 정기적으로 12회 열리는 형태로 운영되었다. 점포도

21 『광주 1백년(1)』에서 박선홍은 사정시장의 개점일을 1932년 2월 3일로 기록하고 있으나(223쪽), 당시 신문기사(「광주시장 면목이 일신」, 『동아일보』, 1931. 9. 9.)에 따르면 1931년 9월 4일에 사정시장이 개점했다는 소식을 알리고 있다. 같은 신문 동년 8월 31일자 기사(「광주읍영시장 25일 준공」, 『매일신보』)에, '광주읍영시장'이 8월 25일에 준공을 마치고 29일에 사용허가를 결정, 9월 1일부터 개포한다고 알리고 있는 것을 볼 때, 사정시장의 개점일은 1931년 9월 4일이 맞는 것으로 보인다.

22 사정시장의 매일 시장으로서의 계획에 대해서는 「불원간 신설될 광주시장, 개시는 매일」(『중외일보』, 1928. 4. 9.);「광주시장 면목이 일신」(『동아일보』, 1931. 9. 9.) 기사 참조.

업종별로 포목전·양품전·잡화전·조끼와 피복전·건어물전·곡물전·고무신전·진어물(생선)전·육류전·사기전·옹기전·유기전 등으로 구분되었다. 구강정에 있는 신탄시장에는 가축시장까지 들어서 있었으며, 이곳은 2·7일 큰 장날만 서게 했다.[23] 사정시장이 들어서면서 시장으로 통하는 거리를 중심으로 상가가 번성하기 시작했으며, 한국인은 물론 일본 상인들이 운영하는 각종 도매상들을 포함, 회사들도 설립해 들어오는 등 오일장의 명성을 그대로 이어받아 호남최대의 시장으로 규모를 갖춰나가기 시작한다.

2. 〈광주읍 시장사용규칙〉과 공영시장으로서의 성격

1914년 9월에 공포된 총독부령 제136호 〈시장규칙〉은 시장에 대한 분류, 시장경영의 방침, 각종 위배 행위와 관련된 처벌 사항 등을 공시한 법령으로, 총독부의 시장정책은 시장에 대한 공영제와 허가주의로 요약될 수 있다.[24] 이는 법령의 제2조와 제3조에서 확인할 수 있다.

> **제2조** 시장은 공공단체, 또는 그에 준하는 것이 아니면 경영할 수 없다.
>
> **제3조** 시장을 설치하는 경우에는 다음의 사항을 기재한 원서를 도지사에게 제출하여 허가를 받을 것
>
> 1. 명칭 2. 위치 3. 면적 4. 설비 5. 개시일과 휴업일 및 시장의 개폐시각 6. 거래하는 주된 화물의 종류 7. 부면(府面)에서 경영하는 경우 외에 사용료를 징수하는 경우에는 그 비율과 징

23 박선홍, 앞의 책, 223~224쪽.

24 허영란, 「일제시기 '시장'정책과 재래시장상업의 변화」, 『한국사론』 31, 1994, 276쪽.

수방법 8. 관리방법 9. 설치 이유

이에 따르면, 시장은 공공단체로서 부(府)와 '그에 준하는' 읍(邑)·면(面)[25]에 의해서만 경영될 수 있으며, 시장을 새롭게 설치하는 것 또한 도지사에 의해 허가를 받아야만 가능하다. 그런데 시장 공영화의 핵심은 바로 '시장세' 징수에 있었다. 시장세 징수는 총독부가 실행한 '시장' 통제의 구체적이고 중요한 목적이자 결과였다. 각 지방관청이 재래시장에서 이루어지는 상거래에 대해 부과했던 시장세는 각 지방의 지방비에서 대표적인 수입원이었다. 시장세는 오일장과 같은 정기시에 대해서는 시장이 개시될 때마다 징수하며 상설시장에 대해서는 다음 달 5일 이내에 징수하였는데, 개시 구역 내에서 행해지는 모든 거래, 상설점포를 포함한 모든 형태의 매매가 부과대상에 포함되어 있으며 매매액의 1%를 징수하였다.[26]

광주의 사정시장은 위치상 '사정(社町)'에 있었기 때문에 붙은 이름이지만, 운영주체를 강조할 때는 '읍영(邑營)시장[광주부로 승격된 뒤로는 부영(府營)시장]'이란 명칭으로 통용되었다. 이는 다시 말해 사정시장이 공공단체의 관리·통제를 받는 공영시장으로서의 성격을 갖는다는 것을 의미한다.[27] 공영시장으로서의 성격은 바로 사정시장이 개설되기 전, 광주읍에서 공포된 〈광주읍 시장사용규칙〉을 통해 잘 확인할 수 있다.

먼저 일제강점기 광주의 시장 정보와 관련하여, 현재 공식적으로 확인

25 1917년 면제(面制) 시행에 의해 읍·면은 비로소 시장경영을 담당할 공공단체, 즉 공공법인으로서 안정적 위상을 부여받게 된다(허영란, 앞의 논문, 2005, 35쪽.).

26 허영란, 앞의 논문, 1994, 280쪽.

27 『매일신보』 1928년 4월 9일자 기사(「광주시장 기지 문제로 광주시민 분개 궐기」)는 창품면장의 시장 부지 특혜분양사건을 다루면서, 사정시장의 설치 배경에 대해 "광주면에서는 광주교의 상하 2개소에 分하여 있는 합계 7천여 평의 시장을 금년도에 更히 신설하여 此를 면 경영으로 세입 재원을 충용하게 되었"다고 설명하고 있다. 이를 보면, 사정시장 설치는 곧 광주의 세입 재원과 직결되어 있음을 알 수 있다.

할 수 있는 최초의 공공기관 문서로는 1917년에 발간된 『광주지방사정』[28]이 있다. '상업' 부분에서는 광주군 내의 6개 시장(광주면: 큰 시장·작은 시장, 그 외 지역: 송정리·비아장·우치·연봉정)의 품목별 총 거래고가 기록되어 있으며, 특히 사정시장으로 통합되기 이전인 큰 시장과 작은 시장의 1년 거래고에 대한 기록을 따로 구분해서 기록해 놓고 있다. 주목할 만한 것은 '조세' 항목으로, 당시에 이미 시장세를 부과하고 있었던 것으로 보인다. 당시 지방세는 부가세, 도축장세, 시장세로 구분되어 있으며, 이 중 시장세가 1,200원으로 전체 지방세의 21% 정도를 차지하고 있을 만큼 만만치 않은 비중임을 알 수 있다.

〈표 1〉 1917년 광주면 조세 현황[29]

종 별	부가세	시장세	도축장세	계
지방세	221.21	1,200.00	4,112.00	5,523.21

『광주지방사정』에는 시장세에 대한 총계만 나와 있을 뿐, 기록이 매우 소략하여 그 과세 기준은 현재로선 상세히 알 수가 없다. 이 기준이 명확하게 제시된 것은 광주읍에 의해 1932년 2월 9일자로 공고된 〈광주읍 시장사용 규칙〉(광주읍 고시 제12호)에 의해서이다. 이 규칙은 광주천 직강화에 따른 시장정비에 따라 두 개의 오일장이 사정시장이란 이름으로 통합·이전되기 전, 1931년 제2회 광주읍회에서 논의된 것이다. 읍회에서 안건으로 상정된

28 『광주지방사정』은 광주군에서 출판한 것으로, 일본인 북촌우일랑(北村友一郎)에 의해 작성된 것이다. 약 200쪽에 이르는 내용 안에, 광주의 정치, 경제, 사회문화 전반이 비교적 상세히 기록되어 있다. 이 책이 쓰인 배경은 일제 초기 10여 년간의 통치기간 동안에 이룩한 군정(郡政)의 성과를 체계적으로 기술·정리하여 그동안의 치적을 대내외적으로 과시하고, 아울러 해당 지역의 효과적인 통치를 실시하기 위한 정책 시행의 기초조사 자료로 활용하기 위한 것이라 할 수 있다.

29 광주민속박물관, 앞의 책, 53쪽 표 인용.

〈광주읍 시장사용규칙〉은 '광주읍'이란 명칭을 달고 있음에도 불구하고, 사실상 사정시장에 관한 전면적인 내용을 다루고 있다.[30] 광주읍에서는 이 시장의 개설과 함께 규칙을 정해 점포와 노점 등으로부터 일정액의 사용료를 징수할 예정이었다. 내용은 사용료, 사용허가, 설비 및 변경 등의 내용을 담고 있으나, 이 규칙의 핵심은 바로 '사용료'에 있다. 규칙의 제1조가 바로 '시장 사용료'의 기준을 명시하는 것으로 시작하는 데서 잘 확인된다.

> **제1조** 시장을 사용할 자는 아래의 구분에 의해 사용료를 납부해야 한다. 점포 갑호 1개월 금 3원 50전 이내 을호 1개월 금 2원 50전 이내 노점 1평에 부(付) 1개월 금 50전 이내 매시일(市日) 금 2전 이내 가축우 성우(成牛) 1두에 부 매시일 금 5전 송아지 1두에 부 매시일 금 3전, 성돈 1두에 부 매시일 금 2전 자돈 1두에 부 매시일 금 1전. 전 항의 규정에 의해 사용료액은 그 금액의 범위 내에서 실지의 상황을 참작해 읍장이 이를 정하고, 사용평수에 부 1평에 미치지 못하는 면적일 때는 이를 1평으로 계산한다.[31]

사용료를 월액으로 할 때는 매월분을 전월 말일까지, 일액으로 할 때는 사용할 때마다 징수하는 것을 원칙으로 했으며, 사용료를 태만하게 할 때는 읍장이 시장사용 허가를 취소하거나 사용을 정지 또는 거부하도록 명

30 1931년 제2회 광주읍회는 8월 10~12일(3일간)에 열리는데, 〈광주읍 시장사용규칙〉에 대한 논의는 10일과 12일 양일간에 거쳐 진행된다. 10일에는 시장사용규칙에 대한 논의 중, 사정시장 현장에 대한 실사의 필요성이 제기되어 폐회를 선언한 뒤, 현장실사를 했던 것으로 보인다. 규칙에 대한 보다 더 상세한 검토는 이틀 뒤인 12일에 이루어진다(8월 10·12일자 광주읍회 회의록 중, 〈광주읍 시장사용규칙〉에 관한 상세한 논의는 광주광역시립민속박물관, 앞의 책, 176~178쪽, 198~202쪽 참조할 것.).

31 위의 책, 226쪽.

시해놓았다. 시장의 관리·감독이 모두 읍장에게 귀속되어 있음을 알 수 있다. 1934년 광주읍 세입예산을 살펴보면, 사정시장 사용료는 총 8,355원이다. 경상부 예산 총 102,478원 중 8%를 상회하는 비율이며, 영업세 10,830원에 못지않을 정도로 비교적 큰 비중을 차지하고 있다.

〈표 2〉 광주읍 세입예산(경상부, 1934년도)[32]

구분	금액(원)	내역
경상부	102,478	• 사용료 및 수수료 36,235원 – 상수도 수입 21,500원 – 시장 사용료 8,355원 • 교부금 1,910원 • 읍세 58,183원 – 지세부가세 5,250원 – 영업세부과세 10,830원 – 호별세 25,543원

1917년 두 오일장의 사용료가 1,200원이었던 것을 감안하면, 사용료 총액에서는 7배가 넘는 액수이다. 이는 그만큼 사정시장의 규모가 성장했을 뿐만 아니라, 관의 시장사용료 정책이 치밀해졌음을 의미한다. 사정시장 사용료 세입은 4년 뒤인 1938년이 되면, 다시 2배로 뛰게 된다.

1938년 시장사용료의 징수대상을 보면, 광주부[1935년 '부(府)'로 승격] 내에는 사정시장을 비롯, 황금정 도매시장, 명치정시장 등 3개가 있었던 것으로 보인다. 이 예산서에서 시장사용료 세입은 총 26,602원으로, 황금정시장이 2,282원, 명치정시장 4,800원, 사정시장 19,520원으로 기록되어 있다.[33] 사정시장의 사용료가 시장 총 세입의 73.3%에 해당하는 액수로, 이는 황금정의 9배에 가깝고, 명치정의 4배가 넘을 만큼 대규모의 사용료를 지불하고 있었음을 알 수 있다. 그만큼 당시 사정시장은 연간 거래액 또한 2개의 시장

32 위의 책, 80쪽 〈광주읍 세입예산〉 중 경상부 예산 인용.

33 합자회사 형태로 운영되던 황금정 도매시장은 주로 청과물과 어물을 취급했으며, 명치정시장은 현재 금남로 2가 7번지 일대에 있었던 시장으로 식재료와 어물을 취급했다. 두 시장 모두 주로 일본인들이 이용했다. 3개 시장 시장사용료는 위의 책, 97쪽 참조.

과는 경쟁이 안 될 정도로 큰 규모였다.[34] 하지만, 당시 황금정시장과 명치정 시장의 이용 대상이 주로 일본인이었음에 반해 사정시장은 한국인 중심 시장이었음을 고려하면, 사실상 경상부 세입예산 중 주요 부분을 차지하는 시장 세입은 한국인들의 전면적인 부담으로 채워지고 있었음을 잘 알 수 있다.

4. 광주신사(神社)와 시장 이전

사정시장이 1931년에 개점한 이후 날로 번성해 나가지만, 10년도 채 되지 않은 1930년대 후반 무렵 또다시 장소 이전 계획이 논의되기 시작한다. 1939년 3월에 개최된 광주부의회에는 전체 16개 안건이 올라오는데, 그중 가장 논란이 되었던 것은 2개의 안건이었다. 사정시장 이전과 공설 운동장 이전에 관한 건이 그것이다. 두 안건은 사실상 서로 물려 있는 것이기도 했다. 애초에 당시 천정(泉町, 현 양동)에 있었던 공설운동장을 다른 곳으로 이전하고, 이 운동장 부지에 사정시장을 이전한다는 계획이었다. 두 시설의 이전 논란은 당시 사정시장과 인접해 있었던 '광주신사'의 전남도사 승격에 따른 부지확장과 관련된다.

광주신사는 1913년에 당시 향사리(이후 사정으로 명칭 변경)에 있었던 구강공원(현재 광주공원)에 설치되었다. 원래 향사리 일대는 광주향교와 사직단이 위치해 있었던 곳으로, 병합 이후 향교 바로 옆 '성거산'이 광주 번영회의 적극적 작업에 의해 광주 최초의 공원으로 지정(1913년)된 후 바

34 1938년 통계자료에 의하면, 사정시장은 연간 거래액이 226만 5,871원에 달했다. 이는 남한에서 천안장, 남원장, 대구 서문장, 예천장, 진주장, 횡성장에 이어 일곱 번째 규모며, 당시 일본인 전용시장인 명치정시장의 23만 2,892원보다 거의 10배에 달하는 규모였다(박선홍, 앞의 책, 225쪽.).

로 신사를 설치한 것이다.[35] 이때부터 일제는 이곳에 벚나무를 식재하는 등 공원경관을 만들어나가기 시작했다. 이 공원경관은 동시에 종교경관이기도 했다. 당시 일본 내에 있는 신사들이 성역을 숲으로 차단해 신성성을 확보하는 데 비해, 한국 내에 설치된 신사는 거의 모두 구릉지대에 공원을 함께 조성하면서 세워졌다. 이때 공원에는 벚나무를 심어 일본적인 경관을 창출하는 것이 일반적이었다. 또한 신사가 있는 공원이 구릉지대라는 점에서 이는 제국적 권력을 효과적으로 가시화시키기 위한 상징적 장치이기도 했다.[36] 광주신사의 위치 또한 이런 맥락에서 이해될 수 있는 것이다.

1913년 설치된 광주신사가 1916년에 총독부에 의해 공식 허가를 받은 뒤, 1938년 전남도사로 승격된다.[37] 사정시장 이전 문제는 바로 이 지점에서 발

---

35 광주신사 설치 연도와 관련하여, 현재 연구자들이 제시하고 있는 연도들이 서로 상이한데(조정규의 논문「일제강점기 광주면의 경관변화에 관한 연구:광주면 향사리를 중심으로」『한국경제지리학회지』 7-3, 2004)에서는 1914년을, 『일제강점기 광주의 도시변천』에서는 1917년으로 표기되어 있다), 본고에서는 1917년에 출간된 『광주지방사정』(광주민속박물관, 앞의 책, 104~105쪽.)의 연도를 따르기로 한다. 이 자료에서는 1913년에 광주공원(구강공원) 내에 본전(本殿)과 배전(拜殿) 등 2개 동을 2,000여 원을 들여 준공했다고 기록되어 있다. 광주신사는 합방 이전 혹은 합방 이후부터 광주에 거주하던 일본인들이 자발적으로 설치한 것으로 보인다(실제로 합방 이전부터 조선 내에 거주하던 일본인들은 그들의 정신적 단합을 위해 자발적으로 거주지에 신사를 설치해왔었다). 광주 내 일본인 조직인 '광주번영회'의 입김에 의해 성거산이 공원으로 지정되고, 이곳에 신사가 설치되었던 것이다. 광주신사 부지가 당시 일본인들의 또 다른 민간조직이었던 '광주학교조합'의 소유였다는 것과(토지 소유에 관한 부분은 조정규의 위의 논문 523쪽 참조), 광주번영회의 초대 회장을 역임했던 송전덕차랑(松田德次郎)이 광주학교조합의 조합장이기도 했다는 사실은(광주민속박물관, 앞의 책, 84~85쪽, 100~101쪽), 1913년 광주신사의 조성 경로를 잘 말해주고 있는 부분이다. 한국 내에 이렇듯 각 지역마다 각 민간단위에 의해 신사 설치가 남발하자, 1915년 8월 16일〈신사사원규칙〉(조선총독부령 제82호)을 발포하고 신사의 존엄성을 유지하기 위한 허가주의를 채택한다. 이로써 광주신사는 1916년 5월 3일 공식적으로 허가를 받게 된다(이와 관련해서는 김대호, 「1910~20년대 조선총독부의 조선신궁 건립과 운영」 서울대 석사논문, 2003, 25~26쪽, 64쪽 참조).

36 조선 내 신사의 위치와 관련된 시각적·상징적 의미에 대해서는 최진성, 「일제강점기 조선신사의 장소와 권력:전주신사를 사례로」 『한국지역지리학회지』 12-1, 2006, 참조할 것.

37 일부 연구 자료들에서는 1938년도에 광주신사가 '국폐소사'로 승격했다고 정리하고 있으나, 정확하게는 1938년도에 '전남도사'로, 1941년에 '국폐소사'로 승격된다(국폐소사 승격에 대한 당시 기사로는, 「광주, 강원 양 신사 국폐소사로 어승격」 『매일신보』 1941. 3. 13.;「국폐소사 어열격 강원, 광주의 양 신사」 『매일신보』 1941. 10. 1. 참조).

생한다. 전남도사로 승격되면서 광주신사의 부지를 확장시키는 동시에, "신사의 존엄을 보장"하는 차원에서 시장의 위치가 문제가 되었던 것이다. 당시 광주신사 바로 턱밑에 사정시장이 있었던 데다 공원 앞 오른쪽에도 가축시장이 개설돼 있어 일본인 시각으로는 '불결하고 시끄러운' 장터가 신성한 신사의 분위기를 흩뜨리는 것은 물론 신사로 오르내리는 동선 환경을 바로잡기 위해 시장을 이전할 필요가 있었다. 이에 광주부에서는 1939년부터 1940년까지 2개년 계획으로 사정시장과 공설운동장 이전과 관련된 사업비를 편성(예산 각각 12만 원, 6만 2천 원)하여, 이를 광주부의회에 올린 것이다.

1939년 3월 19일부터 시작된 광주부의회는 22일에 시장과 공설운동장 이전과 관련하여 2개의 안건만을 상정한 채 진행된다. 그만큼 의원들의 관심이 집중될 정도로 논란의 여지가 많은 것이었기 때문이다. 앞서 시장부지 특혜분양사건에서 의원들의 대결양상이 일본인과 한국인 양측으로 갈렸던 데 반해, 이번 안건과 관련해서는 이와 상관없이 찬반 대결양상이 펼쳐진다.[38] 먼저 이전 반대 측 입장의 논리는, ①사정시장이 광주부의 중요 세입원인 동시에 시가지 번영에도 중대한 영향을 미치고 있는 만큼 만약 그것을 이전한다고 하면 시장 주변의 지가가 폭락할 것이라는 것, ②이전할 장소가 도심과는 너무 멀어서 시민의 이용이 그만큼 불편할 것이라는 것, ③공설운동장은 어대전기념(御大典紀念)으로 광주 사람들이 기부금을 모아 조성한 것인데 그것을 없앤다는 것은 절대 불가라는 것 등으로 요

38 사정시장 및 공설운동장 이전에 관한 안건이 부의회에 상정된 것은 1939년 3월이지만, 이미 신년 예산이 잡힌 직후부터 시장이 이전할 공설운동장 부지 인근 토지 매매가는 평당 2~3원 하던 것이 15~16원으로 폭등하는 현상을 보였다(「광주시장 이전 중심-악덕중개인 발호, 부근 토지가 일약 5, 6배 폭등」, 『매일신보』, 1939. 2. 1.). 이는 사전에 시장 이전 정보를 알고 있지 못하는 한 불가능한 일임을 고려할 때, 광주부의회 의원이라면 사전에 정보를 취득하였을 것이고, 이들 중 일부가 일본인이건 한국인이건 간에 가리지 않고 직간접적으로 투기에 뛰어들었을 가능성이 높다.

1941년 국폐소사(國幣小社)로 승격된 광주신사〈사진 출처 : 『매일신보』, 1941. 10. 1.(6면)〉

약될 수 있다. 다음으로 찬성 측 논리는, ①광주신사가 전남도사로 승격하면서 구역을 확장하고 보니 사정시장과 연접하여 신사의 존엄을 보장하려면 시장 이전밖에 방법이 없다는 것, ②현재 시장을 이용하고 있는 사람들도 광주 부민보다 인접 지역의 사람이 훨씬 많기 때문에 그들의 편의도 생각해야 한다는 것, ③공설운동장은 현재 너무 협소하여 부민들을 위한 다양한 시설을 조성하기 위해서는 이전이 불가피하다는 것 등이다. 이외 제3의 의견으로, 사정시장 중 신사와 인접한 곳만 이전하고 나머지 시장은 부민들의 편의를 위해 일부 남겨놓자는 것이 조정안으로 제시되기도 한다.[39]

몇 시간에 걸쳐 상당히 격렬하게 진행된 이 논쟁은 그 양상이 이전 반대 측에 우세하게 흐르자, 회의를 주재하던 광주부윤 난파조치(難波照治)는 10분간 휴회를 선언한다. 다시 회의를 속개한 뒤, 그는 의원들을 향해 "국가 총동원적으로 경신숭조의 관념을 고조하고 있는 차제에 신사의 존엄을 보지하기 위하여 이전하려고 하는 시장 문제가 부결되는 경우에는 본인(難波)은 인책사적할 각오를 하고 있"다는 으름장을 놓는다. 광주부의 행정 수

39 「시장 이전 문제로 광주부회 공방전 전개」, 『동아일보』, 1939. 3. 25.

령이었던 그로서는 시장 이전이 반드시 실행시켜야 할 사업이었던 것이다. 결국 이날 시장과 운동장 이전 문제는 결판을 내지 못한 채 종료되고, 다음날인 23일로 미뤄진다. 그러나 23일에 개최된 부의회에서 두 안건에 대한 가부 결정은 전날의 대 격론을 벌였던 상황이 무색하리만큼 싱겁게 끝나고 만다. 찬반 양측의 대표 연설을 들은 뒤 가부 투표를 하였는데, 이전 반대자는 전체 의원 중 4명뿐으로 이전계획 원안을 그대로 통과시켜버린 것이다. 1시에 시작된 부의회가 종료된 것은 1시 40분. 두 안건에 대한 연설, 가부 투표와 함께 다른 안건 16개가 처리된 시간은 겨우 40분간이었다.

이로써 광주부는 사정시장과 공설운동장 이전을 공식화시키고, 1941년 10월 1일자로 시장 부지 사용정지 명령을 내린다. 그리고 천정(현재 양동)시장으로 이전에 관한 사항은 1942년 4월 13일에 처리된다.[40] 사실 사정시장 이전 논란은 광주신사의 전남도사 승격에 의해 시작되긴 했으나, 1941년에 광주신사가 광주부나 전남도가 아닌 조선총독부가 관리하는 '국폐소사'로 승격된 것을 감안하면 어쩌면 이전의 운명을 피할 수 없는 것이었을지도 모른다.

한편, 사정시장이 이전될 공설운동장은 1931년 4월에 천정(泉町)에 설치된 것이다. 공설운동장 설치는 이미 하천정리사업에 속해 있었던 것으로, 1928년에 총 공사비 1만 5천 원(광주면: 5천 원, 도지방비: 5천 원, 면민 기부금: 5천 원)의 예산을 계획[41]했다. 원래는 총면적 1만평에 야구장, 정구장, 트랙필드 등을 설치할 예정이었으나, 실제 개장 당시 설비는 면적 5,300평의 야구장뿐이었다. 그럼에도 이 공간은 광주 시민들의 문화공간

40 조정규(앞의 논문, 527쪽)는 천정시장으로 이전에 관한 사항이 1942년 4월 13일에 처리된다고 밝히고 있으나 그 자료 출처를 밝히고 있지 않아, 이 처리가 단순히 이전을 명한 서류상의 처리인지 혹은 천정시장 개포일을 가리킨 것인지 정확히 알 수가 없는 상태다. 다른 자료에서는 천정시장 이전에 관한 날짜를 정확히 기술하지 않고 대부분 1940년대 초반으로만 기록하고 있다.

41 「광주에 공설운동장 기념사업으로」, 『매일신보』, 1928. 2. 14.

으로 충분히 기능했던 것으로 보인다. 야구 경기는 물론 광주 시민들의 운동회, 공연, 각종 운동경기대회, 소방서 대원들의 연습장에 이르기까지 다양한 활동들이 일어난 곳이었다.

그런데 점차 광주부의 인구가 늘어나고 도시의 세가 확장됨에 따라 대규모 행사나 공연을 위한 공간으로는 역부족일 수밖에 없는 상태가 됐다. 이 때문에 이전 논란이 있기 이전인 1936년에 광주부에서는 운동장 옆에 정구, 축구, 육상경기장과 수영장까지 신설하겠다는 계획을 세우기도 한다.[42] 그러던 차에, 1938년 광주신사가 전남도사로 승격되면서 보조경기장 신설 계획이 취소되고, 운동장 이전으로 방향을 전환한 것이다.[43] 이와 같은 배경 하에, 1939년 광주부에 의해 결정고시된, 광주 최초의 법정도시계획이라 할 수 있는 '광주시가지계획'에 안에 사정시장과 공설운동장 이전 계획이 공식적으로 들어가게 된다.

그러나 앞서 설명한 바와 같이, 사정시장과 공설운동장 이전 예산은 1939년에 이미 2개년 계획으로 책정되어 있었으나, 공사는 1940년 초까지 진행되지 않았던 것으로 보인다.[44] 1941년 10월 1일자로 사정시장 부지 사용정지 명령이 내려지고, 이전에 관한 사항이 1942년 4월 13일에 처

42 「신설된 3부의 확장안 광주부편 2」, 『동아일보』, 1936. 2. 3.

43 이때 운동장 새로운 후보지로 지목된 곳은 경양호 매립 때 토취장으로 사용된 곳이었다. 그 위치는 당시 공립동중학교(현 광주고등학교 터)와 관립사범학교(광주교육대학교 터)의 중간 지점으로 현재의 계림초등학교의 북쪽에 해당한다. 새롭게 조성할 운동장에는 기존처럼 야구장뿐만 아니라 수영장·정구장·육상경기장을 설치하려고 했다. 계획면적은 18,500여 평이었고, 두변 사유지 9,500여평도 매수할 예정이었다. 조성비용은 62,000원으로 2년 사업으로 계획했다. 그러나 이 공사가 시행되었는지 확인되지 않고, 아마도 계획으로 그쳤을 공산이 크다. 이 무렵 태평양전쟁으로 인해 자금과 물자부족이 극심하였던 터였으므로 대규모 운동장을 개설할 여력이 없었기 때문이다. 광주에서 대규모 공설운동장은 그로부터 훨씬 뒤인 1965년 10월 임동의 현 무등경기장 일원에 세워졌다(광주광역시립민속박물관, 앞의 책, 101~102쪽.).

44 1940년 3월 26일자 기사(「광주부회도 개막」, 『동아일보』)에 따르면, 당시 개최된 광주부의 회에서는 국지광여(菊地光興) 의원이 예산이 이미 결정되었음에도 왜 공사가 진행되지 않는지에 대해 질문을 던진다.

리된 것을 볼 때, 아마도 공사는 1940년 중반 이후부터 이듬해까지 진행된 것으로 추정된다. 태평양전쟁이 1941년 12월에 발발한 것을 고려하면, 전쟁 준비 때문에 공사가 지지부진했던 것으로 보인다.

어떻든 천정으로 시장을 이전할 즈음에는 한참 전시 중인 상태였던 관계로 일제는 상당한 물자난에 허덕이고 있었다. 이 때문에 천정 시장부지에 점포를 새롭게 조성할 여력이 없었던 듯하다. 당시 사정시장 점포 구조물을 그대로 뜯어다가 천정시장으로 옮겨 짓게 되는데, 이때의 점포 수는 366칸으로, 사정시장의 470칸보다 무려 1백여 점포가 줄어든 상태였다. 천정시장이 개포하긴 했으나, 도심 외곽에 위치한 까닭에 애초의 우려대로 운영이 순조롭지는 못했다. 게다가 일제의 전시경제 체제의 강화로 모든 상점은 기업 정비를 당하고 시장의 유통기능마저도 전면적으로 통제되어 천정시장은 사실상 폐시 상태에 있었다.[45]

천정으로 옮겨온 뒤에도 폐시되기 이전까지 장날은 사정시장 때부터 유지해오던 2·4·7·9일에 열렸다. 천정시장 즉 양동시장의 기능이 다시 살아난 것은 해방 직후부터인데, 오일장의 관습은 1950년대까지 지속되다가 1966년 상인들이 양동상가주식회사를 만들고, 이후 광주시로부터 대지를 불하받아 시설을 근대화하면서 상설시장으로 변모하게 된다.

5. 시장의 문화적 정체성

공간이라는 것은 사람들이 모여들어 그 공간과 관계를 맺는 순간, 이미 물리적 터의 의미를 넘어서는 법이다. 더불어 그 관계가 세대를 넘어 수많

45 박선홍, 앞의 책, 225쪽, 244쪽 참조.

은 얘깃거리를 만들어내게 되면, 그것이 곧 문화적 정체성이 되고 역사가 된다. 오일장이라는 공간의 의미는 바로 이런 맥락에서 이해될 수 있는 것이다. 단순히 물건을 사고파는 장소가 아니라, 사람들이 마을의 소식을 물고 와 서로 정보를 교환하는 광장이자, 사당패들의 춤사위가 떠들썩하게 돌아가던 공연장이자, 때론 왈짜패들의 주먹다짐이 오가기도 했던, 그런 얘깃거리들이 만들어지던 장소였다.

일제강점기에 이와 같은 문화적 장소로서의 전국의 오일장들이 양동시장의 역사와 유사한 길을 걸어왔던 것은, 앞서 살펴보았던 것처럼 상당 부분 식민도시화 정책과 맞물린 것이었다. 장터를 가로질러 도로와 철도가 놓이거나 하천이 정비되거나 인구증가로 인한 거주지 확장이 이루어지는 등 다양한 이유로 오일장들은 이전·병합 혹은 없어지기조차 했던 것이다. 이 글은 양동시장 이전(移轉)의 역사가 광주만의 특수한 사례가 아닌, 당시 전국에서 유사하게 일어났던 오일장 역사의 보편성을 갖고 있다는 점에 주목하고, 그 부분에 대한 해명이 필요하리라는 문제의식에서 시작된 것이었다. 양동시장 두 번의 공간 이동과 관련하여, 지금까지 살핀 것을 간략히 요약하면 다음과 같다.

첫째, 광주천을 거점으로 족히 300여 년의 역사를 가진 두 개의 오일장(큰 장, 작은 장)은 일제강점기인 1920년대 중후반 광주의 '대광주건설계획(면삼대계획)'에 의해 광주천이 직강화되면서, 비정주적 시장에서 정주적 시장으로 변화되었다는 것이다. 이 정주적 신식시장화는 단지 하천정리에 의한 결과물이 아니라, 공영시장으로서 면·읍·부와 같은 공공기관의 관리·감독 하에 놓이게 된다는 것을 의미한다. 이것의 핵심은 다름 아닌 '시장세' 징수였다. 실제로 당시 광주읍은 두 오일장을 합한 사정시장 설치와 관련하여 〈광주읍 시장사용규칙〉을 고시하였으며, 사정시장은 1930년대 내내 경상부 세입예산의 중요 부분을 차지하는 시장세입의 상당액을 지불해야 했다. 그 세율은 일본인을 상대로 하는 다른 시장에 비해 적게는

4배, 많게는 9배까지 차이가 날 정도의 액수였다. 이렇듯 1930년대 광주읍의 시장세입은 한국인들의 전면적인 부담으로 채워지고 있었던 것이다.

둘째, 사정시장은 약 10여 년이 지난 1940년대 초반 또다시 공설운동장 부지였던 천정(泉町)으로 이전하게 된다. 이는 사정시장과 인접해 있었던 광주신사가 전남도사로 승격하게 되자, 신사의 부지확장 및 경관정리의 필요가 대두되면서 벌어지게 된 상황이다. 사정시장 이전과 공설운동장 이전은 1939년에 광주부에 의해 결정고시된, 광주 최초의 법정도시계획이라 할 수 있는 '광주시가지계획'에 공식적으로 들어가게 된다. 그러나 당시 일제는 태평양전쟁에 몰두하면서 여력이 없어지자, 천정시장은 애초 계획보다는 상당히 축소된 채 개포하게 되고, 전시 말기에 이르면 전국적으로 상업 행위가 통제를 당하면서 천정시장(양동시장)은 사실상 폐시 상태로 돌입한다. 천정시장의 기능이 다시 살아난 것은 해방 이후에야 가능해진다.

이처럼 양동시장과 관련된 두 번의 강제 이전은 전통적인 우리의 오일장이 일제의 식민도시화 정책과 어떻게 맞물리고 있는지를 전형적으로 보여준다. 그럼에도 불구하고 한국인들이 일제의 강제성에 일방적으로만 당하고 있지 않았다는 사실을 확인할 수 있었다. 광주천 하천정비사업과 관련한 대광주건설을 주도했던 광주면장(창품익태랑)의 시장부지 특혜의혹 사건이 불거지자, 당시 상인들이 '광주상민대회'를 개최해 불공정성에 대한 문제제기와 함께 이를 지역적 사건으로 확장시켰던 점, 이로써 광주면장의 사임과 더불어 시장부지 재심사와 한국인 연고자 우선 배당이라는 성과를 얻어냈다는 점 등에서 이를 잘 확인할 수 있다. 또한 일제가 강점기 내내 정주적 시장화를 통해 시장 기능을 상설화 하려는 시도를 지속적으로 했음에도 불구하고, 오일장의 관습을 끝끝내 이기지 못했다는 사실은, 문화적 정체성이라는 것이 식민제국의 강제력으로도 어찌할 수 없다는 것을 잘 보여준다고 할 수 있다.

참고문헌

1. 기초자료

『동아일보』, 『매일신보』, 『중외일보』

2. 논문 및 단행본

광주광역시립민속박물관, 『국가기록원 소장자료로 본 일제강점기 광주의 도시 변천』, 2013.

______, 『광주 장날』, 2017.

______, 『일제강점기 광주문헌집』, 2004.

광주직할시, 『광주도시계획연혁』, 1992.

광주직할시사편찬위원회, 『광주시사』(제2권), 1993.

김대길, 『시장을 열지 못하게 하라』, 가람기획, 2000.

김대호, 「1910~20년대 조선총독부의 조선신궁 건립과 운영」, 서울대 석사논문, 2003,

박선홍, 『광주1백년(1)』, 광주문화재단, 2012.

조병찬, 『한국시장사』, 동국대학교출판부, 2004.

조정규, 「일제 강점기 광주면의 경관변화에 관한 연구:광주면 향사리를 중심으로」, 『한국경제지리학회지』 7-3, 2004.

최진성, 「일제강점기 조선신사의 장소와 권력:전주신사를 사례로」, 『한국지역지리학회지』 12-1, 2006.

허영란, 「일제시기 '시장'정책과 재래시장상업의 변화」, 『한국사론』 31, 1994.

______, 「일제시기의 장시 변동과 지역주민」, 서울대 박사논문, 2005.

______, 「조선총독부의 오일장에 대한 통제 및 활용과 그 한계-일제 식민통치에 대한 사회적 제약의 구체적 검토」, 『사학연구』 82, 2006.

제5장

'광주권번'과 예기(藝妓)의 삶

1. 말을 알아듣는 꽃

해어화(解語花), '말을 알아듣는 꽃'이라는 별칭을 가진 기생은 우리에게 화려함 못지않게 신산스런 생애가 겹쳐 있을 것만 같은 이미지로 남겨져 있다. 한 시대를 풍미하며 노래, 춤, 악기, 시·서·화를 자유자재로 다루는 예인(藝人)으로 평가받기도 했지만, 한편으로는 웃음을 파는 창기(娼妓)라는 오명을 뒤집어써야만 했던 그들은 언제부터 우리 곁에 있었으며 어느 시기에 사라졌을까. 이 글은 그들이 우리 역사에서 사라졌던 시기, 일제강점기의 '권번'에 대한 것이다.

우리나라에서 '妓'로 총칭되는 집단의 기원에 대해서는 아직까지 뚜렷하게 밝혀진 것이 없고, 다만 몇 가지 가설로만 제기되고 있는 상황이다.[1]

1 '妓' 집단의 기원과 관련하여 '양수척(楊水尺) 후예설(이익, 정약용)', '무녀기원설(김동욱)', '신라의 원화(源花)기원설(이능화)' 등이 있다(이와 관련해서는 이능화, 『조선해어화사』, 이재곤 역, 동문선, 1992;박종성, 『백정과 기생』, 서울대학교출판부, 2003;문순희, 「18~19세기 京妓의 활동 연구」, 연세대 석사논문, 2007 등을 참조).

하지만 이인로의 『파한집』과 『신증동국여지승람』 등에 전하는 김유신 일화에 등장하는 천관녀(天官女)가 기녀였다는 기록을 고려하면, 이미 삼국시대에 직업적 형태를 갖추고 있었으리라 추정된다.[2] 이때까지 '妓' 집단에 관(官)과 사(私)의 구분이 있었는지는 분명치 않다.

관기로서의 '妓' 집단을 사료로 확인할 수 있는 것은 고려시대에 들어와서이다. 다시 말해 이 시대에 들어와 '관기'의 운영이 하나의 제도로서 성립된 것이다. 고려시대의 관기는 중앙관청 소속의 경기(京妓)와 지방관청 소속의 외방기(外方妓)로 구분되는데, '경기'는 고려시대 음악기관인 대악서(大樂署)·관현방(管絃房)·아악서(雅樂署)·경시서(京市署) 등에 소속되어 궁중 여악을 담당했으며, 교방기(敎坊妓)라고도 불렀다. '외방기'는 군현의 교방에 소속돼 관리나 외국사신 등을 접대하는 역할을 맡았으며, 이들은 외방여기, 외방관기, 향기 등으로도 지칭되었다. 관기 외에 개인에게 속한 '가기(家妓)'와 어디에도 소속되지 않은 채 자유롭게 기업(妓業)을 한 '사기(私妓)'라 불리는 집단이 있었다.[3] 고려에서 확립된 기녀제도는 그대로 조선시대에 이어지게 되는데, 우리나라에서 '기생'이란 용어가 처음 등장(중종 13년, 『조선왕조실록』)한 것도 이 시기이다. 초기에는 '창기(倡妓)'로 표현되다가, 후기에 이르러 기녀(妓女), 여기(女妓), 가기(歌妓), 무기(舞妓), 여악(女樂), 예기(藝妓), 성비(性婢), 면기(眄妓), 해어화(解語花), 창기(倡妓), 창부(娼婦), 창녀(娼女) 등의 다양한 이름으로 불린다.[4] 이름의 다양성은 곧 천민계급이었던 그들의 몸에 그어진 당대의 시선이 어떠했던가를 고스란히 말해주는 증표들이다.

---

2 이경복, 『고려시대 기녀연구』, 민족문고간행회, 1986, 14쪽.

3 위의 책, 40~42쪽.

4 문순희, 앞의 논문, 12~13쪽.

이들은 갑오개혁을 통해 면천(免賤)이 되면서 근대적 주체로서 자유로운 예인으로 자신을 정립시킬 수 있는 기회를 맞이하게 되지만, 곧바로 이어진 일제강점기는 이들을 복합적인 상황으로 몰아넣게 된다. 일제의 통감정치 하에서 발포된(1908년) 〈기생단속령〉과 〈창기단속령〉은 한국 내에 공창제를 확립시키는 근거가 되는 동시에, 일제강점기 내내 기생들을 옥죄는 장치가 된다. 이 단속령에 의해 이들은 '기생조합'이라는 집단적 조직을 통해서만 활동을 허용받았으며, '창기'들과 똑같이 성병 검사를 정기적으로 받아야 하는 오욕을 감내해야 했다. 동시에 예인으로서 자신을 상품으로 만들어야만 생계를 유지할 수 있는 상황에 놓인다. 이렇듯 중층적으로 얽혀 있는 모순 속에서도, 그들은 예인으로서의 자존감과 자신들의 권익을 위한 지난한 투쟁을 보여준다. 이 글에서 다루고자 하는 '광주권번'의 역사 또한, 바로 이같이 근대기의 기생들이 당면했던 모순들과 그에 응전하는 투쟁을 그대로 투영하고 있다. 1917년 '광주예기조합'의 출발, '광주권번'과 '광산권번'의 분화와 병합, 주식회사로의 전환, 그리고 기생들 스스로 자치 경영권을 획득하기까지의 과정을 통해 우리는 그들이 어떻게 시대적 모순에 응전해 왔는지를 살펴보게 될 것이다.

현재 국내 기생과 권번에 대한 연구는 1990년대 이후 폭발적 양상을 보이지만, 사실 지역학 측면에서 접근하고 있는 연구는 아직 미미한 상태이다.[5] '광주권번' 연구는 주로 광주 지역의 국악이나 전통무용 분야의 연구자들에 의해 진행되어 왔지만, 대부분 해당 분야의 특정 내용에 집중하고 있어 근대기라는 역사적 맥락 속에서 광주권번의 활동을 파악하는 데까

5 현재 국악과 전통무용 분야를 제외한 지역 권번에 대한 본격 연구는 전북, 인천, 대구 등 3곳만 해당된다. 그 연구 성과는 다음과 같다. 이승연·송지영, 「일제시대 인천권번에 대한 연구:'용동권번'을 중심으로」, 『인천학연구』 6, 2007;황미연, 「전라북도 권번의 운영과 기생의 활동을 통한 식민지 근대성 연구」, 전북대 박사논문, 2010;손태룡, 「대구지역의 기생단체 연구:일제강점기를 중심으로」, 『한국학논집』 46, 2012.

지는 미치지 못하고 있다. 특히 광주권번에 대한 이들의 이해는 거의 모두 동일하게 하나의 텍스트에 의존하고 있는 현상을 보이는데, 1994년에 처음 발간된 『광주 1백년』(박선홍)[6]이 그것이다. 이 책에는 광주권번이 등장한 시기부터 당시 기생들의 생활상, 한량들과의 관계, 요리집 등에 대한 정보들이 총망라되어 있다. 그러나 이 텍스트가 광주권번을 이해하는데 아주 귀중한 자료임에도 불구하고, 상당 부분 그 시절을 기억하고 있는 사람들의 증언이나 저자가 직접 경험한 기억에 의존하고 있다는 것, 이 때문에 시기적 구분이 명료하게 요구되는 사건들이 누락되거나 혹은 범박한 수준에서 서술되고 있는 등 학술적 자료로 직접 인용하기에는 다소 한계가 있다. 그럼에도 불구하고, 지금까지 대부분의 연구자들이 이 텍스트를 비판적 검토 없이 반복적으로 인용해 왔으며, 광주의 지역사를 정리한 『광주시사』도 똑같은 내용이 그대로 실려 있는 상황이다.

이에 본 연구는 일제강점기의 사료들을 토대로 '광주권번' 운영방식의 변화 과정을 정리해내는 것을 목적으로 한다. 물론 지역 권번에 대한 자료가 일천하기 때문에 모든 것을 세세하게 복원해내는 데는 한계가 따르지만, 당시 대한제국과 조선총독부의 공식기록물, 신문기사 등을 토대로 최대한 시기적 구분에 따른 변화 과정을 추적하고자 한다. 이를 위해 먼저 한말 관기제도가 폐지된 후, 어떤 과정을 통해 근대적 기생조직이 등장하는가를 먼저 살피게 될 것이다. 광주권번의 등장은 이 맥락을 이해해야만 설명 가능하기

6 『광주 1백년』은 개화기 이후 광주의 삶과 풍속 전반을 다루고 있는 책으로, 평생 동안 광주를 연구해온 박선홍 선생이 집필한 것이다. 1994년에 1, 2권으로 출판(금호문화사)된 후, 2012~2015년 동안 광주문화재단에 의해 다시 증보판으로 1~3권이 출판되었다. 증보판 2권(2014)에 '기생'과 관련된 내용이 있으며, 초판에 비해 다소 보완되었으나 워낙 방대한 소재를 다루다 보니 세부적 사실에 대해서는 여전히 누락되어 있는 것이 많다. 특히 본 연구에서 다루고자 하는 광주권번의 운영방식 변화 과정에 부분은 아주 소략하게 처리되어 있어 보완 연구가 필요한 상황이다.

때문이다. 이후 2개 권번의 분화와 병합, 주식회사로의 전환, 자치경영권 획득까지의 과정을 검토한 후, 당대의 시대적 조건에 응전했던 권번 기생들의 활동을 통해 근대적 존재로서의 그들의 위치를 확인해 보고자 한다.

2. 관기제도의 폐지와 근대적 기생조직의 등장

1876년 한국을 강제 개방시키기 위한 '한일수호조약' 체결 이후, 일제는 부산, 원산, 인천 개항과 함께 한국 내 지위권 확보를 위해 1906년 통감부를 설치한다. 통감부의 설치는 곧 한국 식민화 작업의 시작을 알리는 신호탄이었으며, 이는 한국의 기생들에게도 새로운 변화에 직면해야 하는 상황을 몰아오고 있었다.

이 시기에 기생은 갑오개혁과 더불어 공사노비제가 폐지된 이후 공식적으로 면천되는 한편, 대한제국기인 1907년 관기 또한 직제상 폐지된 것으로 추정되지만,[7] 적어도 1908년까지 관기 운영체계는 물론 역할도 그대로 유지되고 있었던 것으로 보인다. 이때 관기를 관장하던 궁중악은 그 규모면에서 이전과는 달리 현격하게 축소·개편되는 과정을 거친다.[8]

7 관기가 언제 없어졌는지는 정확치 않다. 대한제국기에 궁중 관기는 장악원 직제에 있는 것이 아니라 태의원과 상의사에 속해 있었는데, 내의원의 의녀와 상의사의 침선비가 1907년에 폐지된 것으로 보아 관기 또한 이 시기에 폐지된 것으로 추정된다(김영희, 『개화기 대중예술의 꽃, 기생』, 민속원, 2006, 14쪽.).

8 관기를 관장하던 궁중악은 1900년 이전부터 축소되고 있었다. 1895년 예조에 소속되어 있던 장악원이 궁내부 장례원으로 이속되고, 1897년 관제 개혁 때는 장악원이 교방사로 바뀌며, 1907년에는 다시 장악과로 개칭되면서 궁내부의 예식과에 소속된다. 1910년 한일합방과 더불어 장악과를 이왕직 아악대로 바꾸고, 1913년에는 다시 이왕직 아악부로 바꾸었다. 이 과정에서 교방사 설치시 772명이던 악원의 수가 1917년에는 57명으로 줄어들게 된다(위의 책 13~14쪽;송방송, 『한국음악통사』, 일조각, 1984, 525쪽;장사훈, 『한국음악사』, 세광음악출판사, 1993, 483쪽.).

통감정치 하에 있었던 1908년 9월, 관기의 소할 관청이 궁중악을 담당했던 장악과에서 경시청으로 옮겨지게 되는데, 이는 기생들에게 대대적인 변화를 예고한 것이었다. 기생은 더 이상 가무음곡을 보유한 예인이 아닌, 단속과 관리의 대상자로 전락했다는 의미였기 때문이다. 소할 관청의 변경 직후인 9월 15일에 일제는 〈기생 및 창기 단속시행령 제정건〉을, 25일에는 경시청령 〈기생단속령〉(제5호)과 〈창기단속령〉(제6호)을 발포한다. 〈기생단속령〉의 내용은 다음과 같다.

第1條 妓生으로 爲業하는 者는 父母나 혹은 此에 代할 親族의 聯署한 書面으로써 所轄警察官暑를 經하고 警視廳에 申告하야 認可證을 受함이 可함. 基業을 廢止하는 時는 認可證을 警視廳에 還納함이 可함.

第2條 妓生은 警視廳에서 指定하는 時期에 組合을 設하고 規約을 定하야 警視廳에 認可를 受함이 可함.

第3條 警視廳은 風俗을 害하거나 혹 公安을 紊亂하는 虞가 有한 줄로 認하는 時는 妓生爲業을 禁止하며 혹 停止하는 事가 有함.

第4條 第1條의 認可證을 受치 아니하고 妓生을 爲業하는 者는 拾日以下의 拘留나 또는 拾圓 以下의 罰金에 處함.[9]

단속령의 핵심은, 앞으로 기생 활동은 반드시 경시청에서 인가증을 받은 조합을 통해서만 할 수 있다는 것, 이를 어길 시에는 벌금이나 징역과 같은 처벌이 따르리라는 것이다. 〈창기단속령〉은 기생이란 용어를 '창기'

9 統監府警務第二課,「妓生及娼妓ニ關スル書類綴」(1908):,「大韓帝國官報」 4188호(1908. 9. 28.).

로, '기생으로 위업'은 '매음으로 위업'으로 바뀌었을 뿐 나머지 내용은 같다. 이렇게 기생과 창기를 각각 구분해 놓은 이유는 계급이 다르다는 이유였다. 이로써 그동안 관기, 여령(女伶), 기생, 삼패(三牌), 창기, 색주, 무명색, 상화실(賞花室) 등 다양한 이름으로 불리던 이들은 '기생'과 '창기'라는 두 명칭으로 정리된다. 여기서 기생이란 구한말에 관기를 포함한 기생 전체의 총칭이며, 창기는 매음을 직업으로 하는 자로서 상화실, 갈보, 색주가, 작부를 총칭한다.[10] 곧이어 1908년 10월 6일 〈기생 및 창기단속령 시행 심득(心得)〉이란 세부지침을 각 경찰서와 경찰분서로 하달한다. 기생들은 이제 인가증을 허가받은 기생조합에 가입해 활동할 뿐만 아니라, 그 활동과 관련된 전반적 상황(조합운영비, 회의내용, 조약과 개정, 결산보고, 공연활동 등)을 모두 보고하고 허가를 받아야 하는 상황이 된다.[11] 그리고 이듬해인 1909년 3월에는 그 이전에 창기에게만 해당되던 건강검진을 기생에게도 의무화할 것을 검토한다. 이는 기생과 창기를 구별 없이 하나의 매음집단으로 규정하고 총괄적으로 관리대상화 하겠다는 전략이었다. 이 과정에서 예인으로서 자부심을 갖고 있던 관기를 포함한 기생들은 하루아침에 삼패와 같은 유녀들과 동질 집단으로 규정되고 만다.

단속령 발포 후 한성기생조합소를 시작으로 평양예기조합, 동래기생조합, 다동기생조합, 광교기생조합, 시곡기생조합, 신창기생조합, 전주예기조합 등 전국적으로 기생조합들이 조직화된다. 조합들은 다시 1917년을

10 송연옥, 「대한제국기의 〈기생단속령〉 〈창기단속령〉: 일제 식민화와 공창제 도입의 준비과정」, 『한국사론』 40, 1998, 261쪽; 서지영, 「식민지 시대 기생 연구(1): 기생집단의 근대적 재편 양상을 중심으로」, 『정신문화연구』 28-2, 2005, 276쪽 참조.

11 노동은, 「노동은의 우리나라 음악사교실 Ⅸ」, 『낭만음악』 가을호, 1994, 31쪽; 김영희, 앞의 책, 26쪽 참조.

넘어서면서 일본식 이름인 '권번'[12]으로 개칭하게 되는데, 먼저 경성을 중심으로 활동하던 다동기생조합이 대정권번으로, 광교조합은 한성권번으로, 신창조합은 경화권번 등으로 바뀌게 되고, 이 현상은 1920년대를 들어 전국적으로 확산된다.

1916년 3월에 조선총독부는 경무총감부령 〈숙옥영업취체규칙〉(제1호), 〈요리옥음식점영업취체규칙〉(제2호), 〈예기작부예기치옥영업취체규칙〉(제3호), 〈대좌부창기취체규칙〉(제4호)을 발포한다. 이 법령을 통해 일제는 예기·창기·작부의 구분과 숙박소·요리점·음식점·대좌부를 명확하게 구분 짓는다. 이에 따르면, 예기(기생)는 요리점에서 접대를 하면서 기예를 업으로 하는 자로서 그곳에서 숙박하거나 매음을 할 수 없는 한편, 창기들은 가무음곡이 금지되고 매춘 영업만을 허용하는 자로 규정된다. 창기·작부와의 구분을 통해 기생은 기예를 담당하는 집단으로 규정되긴 하지만, 창기들과 똑같이 보건관리의 대상으로 인식되는 이 역설적인 위치가 일제강점기 기생의 자리였다.

한편으로 이들은 또 다른 이중적 위치와 관련해 하나의 과제 앞에 직면해 있었다. 이전의 교방기생들이 천민의 신분으로나마 안정적 활동을 하고 있었다면, 근대기의 기생들은 면천과 더불어 이제는 스스로 자신의 생계를 책임져야만 하는 상황[13]에 놓인 것이다. 조합운영과 주식회사로의 전환 등은 식민화와 자본주의화가 동시에 진행되는 상황 속에서 기생들이 자신을 관리대상이자 상품으로 만들어야 생계를 유지할 수 있다는 것을 의미했고, 이와 같은 복합적 모순 속에서 이들은 예인으로서, 생활인으로

12 일본에서 기생, 창녀를 유숙시키면서 주문에 응해 출장, 매음을 하게 하는 오끼야(置獄)와 비슷한 기능을 하였으며, 화대 계산까지 맡게 된 관청을 겐방(原般)이라 했는데, '권번'은 겐방의 한국식 표기이다(임종국, 『밤의 일제 침략사』, 한빛문화사, 1984, 20쪽).

13 황미연, 앞의 논문, 65쪽 참조.

서 자신의 권리를 주장하며 부단한 투쟁을 전개해 나간다.

3. 광주권번 운영방식의 변화 과정

광주목(光州牧) 교방의 폐지와 예·창기의 추이

조선시대 지방관아에 부속된 교방은 기생과 악공의 습악(習樂)을 담당했던 기관이다. 1800년대 후반 전국 8도에 설치된 교방은 총 31개로 나타나는데, 전라도에는 6개 지역(전주, 광주, 순창, 순천, 무주, 제주)에 교방이 존재하고 있었다.[14] 당시 광주목 성내에 설치된 교방은 『호남읍지』(1871)와 『지방지도』(1872)에는 '교방청(敎坊廳)'으로, 1895년판 『호남읍지』에는 '교방'으로 표기되어 있다. 또한 1897년에 발간된 『광주읍지』에는 관청에 소속된 노비 통계를 보여주는 부분에 '장악원(掌樂院)'에 "奴 5名 婢 6名"이 배치되어 있다는 기록으로 보아, 이 시기에 '교방', '교방청', '장악원'을 모두 혼용해서 사용하고 있었음을 알 수 있다.

이때 광주목 교방에 기생의 수가 어느 정도였는지는 확실치 않다. 『광주읍지』(1897)에는 기생과 더불어 교방에 소속된 악생(樂生) 1명, 악공(樂工) 3명, 취타수 20명 등을 포함해 이들을 돕는 노비 11명과 보인(保人) 48명이라는 숫자만 기록되어 있을 뿐, 기생의 수는 누락되어 있기 때문이다. 다만 1500년대 중후반에 80여 명 정도의 교방 기생이 있었다는 것은 확실해 보이지만,[15] 조선 후기에 들어서는 30명 이하였을 것으로 추정된다.[16]

---

14 전라도 지역 교방에 대해서는 황미연의 「조선후기 전라도 교방의 현황과 특징」(『한국음악사학보』 40, 2008)을 참조. 그러나 이 논문에서는 '광주목'의 교방에 대한 상세한 설명이 빠져 있다.

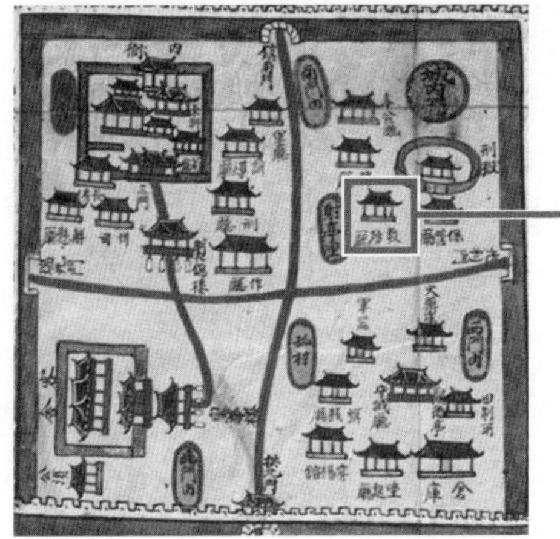

광주읍성 내 교방청 위치
(광주목 지도, 1872년)

https://kyudb.snu.ac.kr/main.do?mid=GZD

광주목 교방이 정확히 언제 폐지되었는지는 기록으로 확인할 수 없지만, 여기에 소속되어 있던 기생들 또한 대한제국기를 지나면서 중앙의 경기(京妓)들이 해산되는 시기에 자연스럽게 해산되었던 것으로 보인다. 관기에서 풀려난 뒤, 이들은 주로 광주읍성의 북문 밖과 남문 밖을 중심으로 거주하게 되는데, 이는 이후에 '남문 밖 기생조합(광산권번)'과 '북문 밖 기생조합(광주권번)'의 공간적 거점이 된다. 광주에 기생조합이 생긴 것이 1917년임을 감안하면, 그 이전까지 이들이 생계를 유지했던 방식은 주

15 『광주읍지』(1897)에는 1500년대 중반에 유몽인의 야화(夜話)를 기록하고 있는데, 이 내용은 광주목사로 오겸(吳謙)이 부임하여 기대승과 이후백을 모시고 문회연(文會宴)을 치렀다는 것이다. 이 모임에서 이후백이 80여 명의 교방 기생들에게 글을 써주었다고 기록되어 있다(李公又積華箋齊肩恣毫揮灑敎坊八十餘妓各所贈長篇短薦律詩古詩隨意).

16 조선 후기 전라도 지역의 교방에 소속되어 있던 기생은 전주부(34명), 순천부(30명), 무주부(26명)이었으며, 교방 없이 기생만 거처하고 있었던 지역으로는 영광군(23명), 순천좌수영(15명), 남원부(6명), 진도부(4명), 옥과현(4명)이었다[황미연(2008), 앞의 논문, 633쪽, 〈표2〉 참조]. 그런데 당시 전국적으로 감영이 있었던 곳이 상대적으로 교방 기생수가 많다는 점과(이규리, 「조선후기 외방관기 연구」, 동국대 석사논문, 2003, 25쪽), 행정구역 규모면에서 광주가 '府' 아래인 '牧'임을 감안할 때, 광주목 교방 기생수는 30명을 넘지 않았을 것으로 보인다.

점을 열거나 개인적으로 한국인 중심의 민간 연회에 요청받는 것을 통해 해결하는 정도였을 것이다. 왜냐하면 광주 지역에 일본인들이 들어와 거주하기 시작한 것은 1897년 목포가 개항하던 때와 동시에 이루어졌는데(1910년: 1,300여 명, 1916년: 2,500여 명),[17] 이들은 주로 게이샤들이 있던 일본 요리집을 이용했었으며, 기생의 가·무·악을 즐길 정도의 연회가 가능한 한국식 요리집이 광주 최초로 개업(신광원)한 것은 1920년이기 때문이다.

기생 외 창기들은 서문 밖(부동정)을 중심으로 거주했는데, 이 구역은 앞서 설명했던 1916년 총감부령 〈대좌부창기취체규칙〉(제4호)에 의해 '대좌부 영업 지역', 다시 말해 '유곽 지역'으로 지정 고시된다.[18] 1917년 광주면에서 작성한 『광주지방사정』에, "예기를 양육하는 요리점을 갑종(甲種)이라 하고, 서문 밖 일체의 작부를 양육하는 요리점을 을종(乙種)으로 칭하였으나, 지금은 이것을 유곽이라 하고 작부를 창기로서 대우하게"[19] 되었음을 밝히고 있다. 더불어 예기와 관련된 요리점과 창기와 관련된 요리점을 따로 구분하여 명시하고 있다. 이때 을종의 요리점(일본 요리점 7곳, 조선 요리점 2곳), 즉 유곽의 창기들은 일본인이 22명, 조선인이 6~7명이었다. 그런데 이 자료에서도 갑종에 해당하는 조선식 요리점에 대한 기록이 없는 것을 보면, 적어도 광주 지역에서 예기에 해당하는 기생들의 생계유지는 그들의 기예를 펼칠 장소가 없었던 상황에서 오히려 창기보다 더 못했을 가능성이 높다. 이들이 긴 침묵을 깨고 지역사회에 공식적으로 다시 등장한 것은 1917년이었다.

17 광주민속박물관, 『일제강점기 광주문헌집』, 2004, 47쪽;광주직할시사편찬위원회, 『광주시사』 제2권, 1992, 268쪽, 참조.

18 홍성철, 『유곽의 역사』, 페이퍼로드, 2007, 93쪽.

19 광주민속박물관, 앞의 책, 90쪽.

'광주예기조합'의 설립과 분화

광주목 교방이 폐쇄된 이후, 모든 공적 기록에서 사라졌던 기생의 존재가 다시 나타난 것은 1917년 6월 17일 『매일신보』의 기사를 통해서이다. 이 기사는 「광주에 예기조합, 일반이 찬성한다」라는 제목으로, 광주가 관·민에서 주최하는 연회나 행사가 많음에도 불구하고 여기에 필요한 예기조합이 없어 늘 불편했다는 상황과 함께, 광주에서도 예기조합이 설립되는 중이라는 소식을 전하고 있다. 〈기생단속령〉 발포 이후 기생들의 공식적 활동은 조합을 통해서만 가능했기 때문에, 당시 예기조합이 없었던 광주로서는 상당한 비용을 들여 전주나 대구 등 타 지역에서 기생들을 불러와 행사를 치러야 했었던 것이 사실이다.

> 광주는 전남의 수부인 고로 관·민간 연회도 허다하고 송영도 허다한 바 연회석상에 빠지지 못할 예기조합이 없어 항상 불편하게 여기던 바이라. 연전에 광주품평회 때에도 대구서 기생 십여 명을 데려온 고로 대대한 비용이 들었고 또 금번 본사 전남지국 낙성식에도 전주 기생 십여 명이 출연되어 불소한 비용이 든 터이라. 만일 광주에 기생조합이 있었다면 이러한 폐단은 없을 것이요.
>
> – 『매일신보』, 「광주예기조합, 일반이 찬성한다」, 1917. 6. 17.

그런데 예기조합 설립은 지역 인사들이나 기생들 사이에서 자연스럽게 논의되어 온 결과라기보다는 특정 사건에 의해 급작스럽게 출발했던 것으로 보인다. 이 사건은 위의 기사에서 언급되는 '전남지국 낙성식'과 관련된 것이다. 당시 매일신보사 전남지국에서는 건물을 새로 짓고 낙성식을 병행해 1917년 5월 31일부터 6월 8일까지 '독자위안회' 행사를 개최한다. 이 행사는 광주에서 4일, 목포에서 4일 동안 대대적으로 진행됐는데, 이때

六月十日落成式을行ᄒᆞᆫ全南支局

◇期日 五月三十一日브터六月八日ᄭᆞ지光州에四日間、木浦에四日間
◇場所 光州ᄂᆞᆫ光州座、木浦ᄂᆞᆫ常盤座
◇餘興 全州 藝妓組合名妓 米仙 蘭珠、玉桃 遠香 桂花 遠姬 綾雲 翠香 初月 桂香 等如花如月ᄒᆞᆫ妓生의清歌妙舞와各種才風流며名唱으로獨步를占ᄒᆞᆫ宋萬甲의獨唱과其他韓琴東等의伽倻琴其他各種技藝를演케ᄒᆞ야興味가津々케ᄒᆞᆷ

光州 木浦 讀者慰安會

◇特權 每日申報前附讀者와三個月先金으로新히購讀請求ᄒᆞᄂᆞᆫ者ᄂᆞᆫ優待券을進呈ᄒᆞ야二日間式無料觀覽의特權이有ᄒᆞᆷ
◇落成式 支局新築落成式은六月十日로豫定ᄒᆞ얏습

主催 每日申報全南支局

5월 31일부터 개최되는 전남지국 주최 독자위안회는 광주에서 나흘, 목포에서 나흘을 계속하여 본보 독자를 위안한다는데, 지금이라도 3개월 선금으로 신보구람을 청구하시는 이에게는 무료입장케 한다 하며 위안회에 출연하기로 작정된 전주예기조합 기생은 가무에 절등한 채선, 란주, 옥도, 연향, 계화, 연희, 계향, 롱운, 취향, 초월 등이며 청가묘무와 각종 풍류 등으로 우리 독자 제위를 만족하도록 위안한다 하며 또 제일 특색은 조선에서 명창으로 독보라는 송만갑의 독창도 있을 터이며 그 외 한수동 등의 여러 가지 가야금선 소리 등이 있어 흥미가 진진한 대성황을 이룬다더라.

－「광주목포 독자위안회, 명기명창의 출연 본보 독자의 우대」, 『매일신보』, 1917. 5. 29.

「광주목포 독자위안회」 광고/사진 속 건물은 매일신보사 전남지국〈자료출처 : 『매일신보』, 1917. 6. 2.(4면)〉

매일신보사에서 행사를 위해 '전주예기조합'의 기생 10여 명을 초청한다.

광주 행사는 '광주좌'에서 열렸었는데, 조합이 없던 광주의 기생들은 초청을 받지 못한 상태였다. 그럼에도 지역 행사를 타 지역 기생들이 와서 주도한다는 것을 "부끄러운 일"이라 생각하고 비공식적[20]으로나마 무료로 위안공연에 참여하게 된다. 비록 비공식적 참여이긴 했지만, 광주 기생들

20 당시 『매일신보』는 5월 27일부터 6월 2일까지 총 5회에 걸쳐 독자위안회 행사광고를 싣고 있는데, 출연진 명단에 전주기생 11명의 명단만을 싣고 있을 뿐, 여기에 광주 지역 기생들의 명단은 전혀 발견되지 않는다.

에게 그 무대는 자신들의 기예를 지역사회에 오랜만에 공개하는 장이자, 동시에 전주 기생들과 실력을 겨루는 장이기도 했다. 그런데 그 경쟁은 광주 기생들의 참패로 결론 난다.

> 이번에 광주에서 기생조합을 설시케 되어 지원 기생이 벌써 10여 인에 달하게 되었다. 이 동기는 이번에 매일신보 지국 주최로 전주예기 십여 명을 불러서 광주와 목포에 독자 위안회를 개최하였는데 광주에 묻혀 있는 그 전 기생들이 개탄히 생각하고 내 고을 위안회에 타관 기생이 출연케 되는 것은 부끄러운 일이라 하여 기생 봉란, 옥향, 금홍, 계향옥, 도해, 동춘 등의 발기로 위안회에 무료로 출연하게 되었는데 전주 기생과 일상 경쟁이 일어나 서로 기술을 다투었으나 전주 기생은 다년 학습한 가무가 막힐 것이 없으나 광주 기생은 준비가 없는 까닭에 법무 등은 전주 기생을 따르지 못하게 되었는데 이 원인은 조합이 없는 까닭이라 하여 광주의 유력한 정인준 씨를 앞장세우고 기생조합 설시를 발기하였는데 관민이 모두 동정을 표하고…
>
> –『매일신보』, 「광주예기조합, 일반이 찬성한다」, 1917. 6. 17.

위의 기사는 광주 기생들의 패배 원인을 조합의 부재에서 찾고 있다. 이미 '전주예기조합'은 광주보다 2년이나 빠른 1915년경에 설립되어 활동하고 있었으며, 경성에서 개최된 조선물산공진회를 비롯한 각종 지역행사들을 통해 기예 또한 상당한 단련이 된 상태였었다. 따라서 광주 기생들이 근대적 무대경험이 풍부한 전주 기생들을 상대하기에는 역부족일 수밖에 없었다. 예인으로서 자존감이 무너진 이 공연무대 경험은 광주 기생들에게 일대 '사건'으로 인식되었고, 결국 이들 내부에서 조합의 필요성이 제기되자마자 순식간에 설립까지 일사천리로 진행된다. 조합설립을 발기하자마자 퇴기를 포함한 기생들이 계약서를 작성하고, 그들의 건강진단과 광주경찰서에 청원수속이 동시다발적으로 이루어진다. 여기에 지역사회 또한 힘을 보태는데, 지역 유지 중 한 사람이었던 정인준[21]이 조합설립에 앞장서서 나오자, 발기인으로 정경교, 하정은, 박태현이 참여하고, 이중 박태현이 설립비용을 대부하는 한편, 광주경찰서 또한 청원수속을 일시에 허가해준다. 연이어 조합창업 연회를 개최하고 규약을 정리해 '광주예기조합(光州藝妓組合)'이란 이름으로 최종 허가가 떨어진 것이 1917년 6월 18일[22]이다. 조합의 필요성이 제기된 것이 5월 31일부터 6월 4일까지 나흘 동안 광주좌(光州座)에서 진행된 행사무대였던 것을 감안하면, 20일이 채 안 된 시간 안에 이 모든 것이 이루어진 셈이다.

'광주예기조합'은 당시 광주읍성의 남문 밖에 있는 장소(현재 남동 21번지)에 거처를 마련해 활동을 시작했다. 그런데 8년여가 지날 무렵, 읍성의 북문 밖 기생들을 중심으로 또 하나의 예기조합이 생긴다. 새로운 조합이 설립된 것은 1925년 5월 초였다. 이미 6월 초부터 새 조합의 활동 상황이 기사화되고 있으며, 이때 두 조합의 명칭은 '광주 예기권번(남문 외)'과 '광주 예기권번(북문 외)'로 구분되어 사용되고 있다.[23] 1926년을 넘어서면서 기존의 남문 외 조합은 '광산권번'으로, 새로운 북문 외 조합은 '광주권번'으로 정식화된다. 당시 광산권번에는 주로 광주 지역 출신 기생들 50여 명이 소속되어 있었으며, 광주권번에는 타 지역 출신의 기생 30여 명

21 정인준은 대한제국기에 애국계몽운동가로 활동했으며, 1909년 광주 최초의 국악공연장이자 국악인 단체였던 '양명사'를 창설한 사람으로, 시조에도 능했고 춤에도 조예가 깊었다고 한다[박선홍(2014), 앞의 책, 21쪽, 45쪽 참조]. 양명사 무대에 당대의 명창, 명기들이 창극을 선보이고 했었던 것을 고려하면, 정인준은 지속적으로 광주 지역 기생들과 인연을 맺고 있었던 상황에서 조합 설립에 앞장서달라는 이들의 요청을 수락했던 것으로 보인다.

22 '광주예기조합'은 6월 18일자로 허가를 받은 직후, 23~24일 이틀 동안 조합설립을 기념하여 양파정에서 원유회를 개최한다(「광주기조(妓組) 허가, 오는 단오에 원유회」, 『매일신보』, 1917. 6. 21.).

동아일보 광주지국에서 신사옥을 지은 후, 이를 기념하는 낙성식이 1927년 4월 29~30일에 광주좌에서 열렸다. 이 행사에 광산권번과 광주권번 예기들이 출연하여 연주하고 있는 모습과 객석이 가득찬 모습을 볼 수 있다.〈사진출처 : 『동아일보』, 1927. 5. 3.(5면)〉

이 소속되어 있었다.[24]

이렇듯 광주에 2개의 권번이 생겼다는 것은 그만큼의 수요가 지역사회에서 생겼다는 것을 의미한다. 실제로 광산권번이 새롭게 조직된 1925년 광주의 인구통계는 1910년대에 비해 2배가 넘는 상황이었으며, 지역의 재정규모는 1920년대 중반을 넘어서면서 10년 전에 비해 8배에 달할 정도[25]가 된다. 광주의 규모가 다방면으로 커지면서 공연문화의 한 축을 담당하

23 「기근구제 연주, 광주 양 권번의 기거」, 『동아일보』, 1925. 6. 2. 또한, 이들 명칭에서 볼 수 있듯이, 기존의 예기조합이 '권번'으로 바뀌어 있는데, 광주 지역에서 '권번'이란 용어는 이때 처음 사용된 것이 아니라 이미 1922년을 전후해 나타났던 것으로 보인다. 『매일신보』 1922년 9월 2일자 기사(「광주기생연습, 동복범주회에 출연하려고 연습 중」)에, 광주예기조합의 기생들이 공연 연습을 하고 있는 내용 중 이들을 가리켜 '광주권번 예기'라는 용어를 사용하고 있다. 1920년 중반까지 신문기사들에서 '광주예기조합'이라는 명칭이 그대로 존속되어 있는 것을 볼 때, 광주 지역에서 '권번' 용어는 1920년 중반과 1922년 중반 사이에 나타난 것으로 추정된다. 물론 이 당시에 쓰인 '광주권번'은 남문 외에 있었던 예기조합(이후 '광산권번')을 가리키는 것이며, 이후 1925년에 설립된 북문 외 기생조합을 가리키는 '광주권번'과 혼동하지 말아야 한다.

24 광산권번의 조합장은 최서현이 맡았으며, 광주권번은 화순 출신의 오헌창이 맡다가 뒤이어 최서현의 동생인 최서국이 이어받았다고 한다(박선홍(2014), 앞의 책, 34~35쪽 참조).

25 1910년 광주 인구는 12,256명이었으나, 1920년엔 15,507명, 1925년엔 23,734명이 된다. 15년 사이에 2배로 증가한 것이다(광주직할시사편찬위원회, 앞의 책, 263쪽). 또한 1916년 광주면의 세입은 17,532원이었던 데 비해, 1928년 세입 규모는 134,930원이다(광주민속박물관(2004), 앞의 책, 43쪽;광주광역시립민속박물관, 『국가기록원 소장자료로 본 일제강점기 광주의 도시변천』, 2013, 117쪽).

고 있었던 권번기생의 활동 무대도 많아졌을 것이고, 이에 따라 새로운 권번 출연이 가능했었던 것으로 보인다.

그런데 2개의 권번이 각자의 이름을 갖고 독립적으로 활동한 것은 3년이 채 되지 못한다. 1928년 초에 광주경찰서에서 광주권번을 해산시켜버리기 때문이다. 광주권번의 해산 사건에 대한 전말을 당시 신문에서는 다음과 같이 전하고 있다.

> 거월(去月) 20일 경에 북문 외 광주권번에서는 고문(顧問)과 간사(幹事) 측에서 의견이 일치하지 못하여 여러 가지 문제가 점점 악화해지므로 당 지방경철당국에서는 해(該) 조합장부를 일절 압수하여 취조하는 동시에 해당 조합을 해산시켰으므로 동 조합에 들었던 기생 30여 명은 경찰서에 출두하여 다시 복구하여 달라고 애원하였으나 多田서장은 강경한 태도로 시종 불허하므로 지난 9일 오후에 춘목암 누상에서 총회를 개하고 양 권번이 병합하기로 결의하여 당국에 허가원을 제출할 터인 바, 권번 명칭에 대하여 광산, 광주 또는 서석(瑞石)으로 주창하여 의논이 분분하다가 결말을 짓지 못하고 경찰당국에 일임하였다는데, 일반의 여론은 지방명을 따라 일반이 알기 쉽게 광주권번이라 칭하는 것이 좋을 듯하다…
>
> -「광주에 권번합동조합 이름은 서장에 일임」, 『매일신보』, 1928. 2. 21.

이 기사에서는 해산 사유를 구체적으로 밝히고 있지 않으나, 소속 기생들과는 상관없이 권번 내부의 간부들 사이에서 발생한 갈등을 주요 원인으로 꼽고 있다. 1928년 1월 20일에 광주권번이 해산 조치된 후, 조합 기생들은 경찰서를 찾아가 탄원하는 등 다각적인 노력을 기울였던 것 같다. 결국 원상복귀는 실패하고, 2월 9일에 춘목암(요리집)에서 양 권번을 병합하는 결의를 하게 되는데, 이 병합은 당시 광산권번의 조합장(최서현)과 광주권번의 조합장(최서국)이 형제라는 사실을 고려한다면, 쉽게 이해될 수 있는 맥락이다.

권번 병합을 통한 통합명칭은 '광주권번'으로 결정되고, 이 이름으로 경찰서에 허가원을 제출한 것은 3월 중순 이후부터 4월 사이에 이루어진 것으로 보인다. 왜냐하면 3월 중순까지 2개의 예기조합을 구분하고 있는 표현이 신문기사에서 보이는[26] 한편, 양 권번이 통합한 것을 기념하는 '기념 온습회'가 5월 말(25~27일)[27]에나 가서야 열리기 때문이다.

'주식회사'에서 '자치(自治)'로

1929년 미국에서 시작된 세계경제대공황은 자본축적 구조가 취약한 일본을 위기로 몰아넣었고, 일제는 1930년대에 들어서면서 내부적 위기를 타개하기 위해 군국주의로 방향을 전환한다. 준전시체제 하의 만주사변(1931), 1930년대 중반 이후 전시통제경제 하의 중일전쟁(1937), 태평양전쟁(1941) 등의 상황 속에서 조선은 병참기지화 되고 경제수탈 또한 극심해지고 있었다. 1930~1940년대의 정세 불안과 경제적 불황은 그대로 기생들의 생존에도 영향을 미치게 된다. 이들이 소속된 권번 조합들이 경영상의 이유로 해산되거나 혹은 주식회사로 대거 전환되는가 하면, 전시체제로 접어든 일제강점기 말에는 영업 제지를 당하면서 권번은 사실상 해체되기 때문이다.

---

26 3월 중순 광주경찰서의 밀매음 단속에서 광주권번 소속 기생 한 명이 현행범으로 발각되는데, 이 사건을 알리는 신문기사에서 광주의 예기조합을 2개소라고 설명하고 있다. 그 기사내용은 다음과 같다. "전남 광주에는 예기조합이 2개소에 예기가 76명이나 되는데 근일 그들은 밀매음을 성행하는 경향이 많아서 양 조합으로서도 주의를 많이 시켜왔으나 일절 듣지 아니하고 더욱 풍기가 문란하여 가는 고로 경찰은 취체를 엄중히 하기로 하고 지난 8일에는 광주권번 18세 된 기생 김모가 현행범으로 발각되었다는 바, 당국에서는 금후부터는 엄중 취체할 터이라더라."(「광주예기 풍기문란, 경찰은 엄중 취체하는 중」, 『매일신보』, 1928. 3. 12.)

27 『매일신보』 1928년 5월 28일자 기사(「광산권번 온습회 성황」)에서 통합기념공연에 대한 상황을 전하고 있는데, 양 권번이 통합한 이후에도 '광산권번'을 기사 제목으로 올리고 있는 것을 보면, 사실상 통합 이후 조합 활동의 무게 중심이 광산권번에 있었음을 짐작할 수 있다.

광주 지역 또한 예외가 아니었다. 먼저 경제대공황의 여파가 그대로 미친 1931년 8월, 광주권번 예기들 4~5명이 광주경찰서 보안계를 찾아 탄원서를 제출하는 사건이 생긴다. 광주에서 가장 큰 조선식 요리점이었던 춘목암에서 불경기 타개책으로 여급 7, 8명을 고용해 기생 역할을 대신하게 했던 것이 발단이었다. 시간비를 지불해야 하는 기생에 비해 여급은 훨씬 경제적으로 값싸기 때문에 벌어진 일이었는데, 이에 권번 기생들이 여급을 없애기 전까지 춘목암 공연 출연을 전원 하지 않기로 결의하고, 경찰서에 여급을 없애달라는 탄원서를 제출한 것이다.[28] 이 사건은 요리점, 기생, 풍류계 모두 경제불황에 맞닥뜨린 상황에서 연출된 것으로, 당시 기생들의 생존과 권번 운영의 어려움을 상징적으로 보여준 것이었다. 점점 기생들 수입이 적어지면서 이듬해인 1932년에는 광주권번에 소속돼 있던 80여 명의 기생들 대부분이 퇴거하고 사실상 20여 명 정도만 남게 되며[29], 권번도 극도의 긴축 운영을 해나가게 되기 때문이다.

그러나 이 같은 긴축 경영도 한계를 보이게 되자, 광주권번은 '주식회사'로 운영방식을 전환할 것을 결정한다. 광주권번이 주식회사로 허가를 받은 것은 1932년 9월 15일이었으며, 총 주수 100주에, 자본금 5천원이었다.[30] 권번의 주식회사로의 전환은 1920년대에 몇몇 권번들(대정, 대동, 경성, 대항, 대구, 부산 등)에서 시작되지만, 그 외 대부분은 1930년대에 본격적으로 진행된다.[31] 이는 주식회사로의 전환이 당시 경제 불황과 관련이 깊음을 의미한다. 이 전환이 주로 경찰 당국의 주선으로 풍류계를

28 「공황 중 쟁염 여급발호로 예기가 맹파, 광주서에 양해 구해」(『동아일보』, 1931. 8. 14.).

29 「지방잡신」(『동아일보』, 1932. 2. 12.).

30 「광주권번은 주식으로 허가」(『매일신보』, 1932. 9. 21.).

31 동래(1933), 종로(1935), 봉래(1935), 한성(1936), 조선(1936), 군산(1937), 진주(1939), 마산(1940), 삼화(1942) 등이다.

포함한 지역 인사들의 자금을 모아 이루어졌으며, 경영난에 빠진 조합을 구제하는 방안[32]이기도 했기 때문이다.

광주권번의 주식회사 전환과 함께, 소속 기생들의 위상도 변하게 된다. 지금까지 출자를 한 조합원으로서 운영진과 수평적 관계를 맺고 있었다면, 이제는 회사와의 계약을 통해 직원으로 등록이 된 것이다. 그런데 일반적으로 이런 계약 내용의 핵심이 회사와 기생이 시간비(화대)를 어떻게 나눌 것인가에 있었을 것인데, 광주권번 주식회사의 계약서는 이와는 다른 방식으로 작성되었던 것 같다. 결국 이 계약서의 내용 때문에 광주권번의 운영방식은 1935년 들어 또 한 번의 변화를 다시 겪게 된다.

1935년 3월 26일, 광주권번의 기생들이 돌연 동맹파업을 선언하는데, 이는 당시 신문기사에서 "조선에서는 처음 보는 색다른 동맹파업"(「광주기생들 파업」, 『동아일보』, 1935. 3. 31.)으로 표현될 만큼, 큰 이슈가 된 사건이었다. 사실 이 파업은 이미 3월 초부터 시작된 것으로, 회사가 기생들과 맺었던 계약 내용을 위배한 것이 원인이었다. 당시 기생 측과 회사 측의 주장 내용을 살펴보면 다음과 같다.

- 기생 측 모 담: 회사가 성립될 당시에는 많은 도움을 받았습니다. 그러나 그 당시에 주주와 중역 측과 계약을 하기를 기생 화대에서는 회사에 조금도 납금할 것 없고 1년에 춘추로 주주들이 노는 데 무료 출연만 하라던 것이 지금 와서는 우리가 벌어온 화대에서 2할식을 강제로 회사에 납금시키며 벌어온 화대도 잘 지불치 않으므로 생활을 할 수 없으며 시대에 응하여 일본 내지 말과 화술도 배워야 할 것이므로 수차 일동이 요구하였으니 만사를 회사 측의 독단으로 하니 우리끼리

32 윤혜신, 「일제시대 기생의 저급화 담론에 관한 연구」, 서울대 석사논문, 2006, 30쪽.

의 자치로 하게 달라는 것입니다.

- 중역측 모씨 담: (상략) 화대 부지불 운운은 각 요정에서 그 달 회계를 회사에 지불치 않고 수개월씩 밀려 지불하므로 그리된 것이지 회사 측에서 돈을 두고도 지불치 않은 것이 절대로 아닙니다.

– 「회사로는 배고프니 자영으로 해주소」, 『조선중앙일보』, 1935. 3. 23.

기생과 회사의 운영진이 서로 주장하고 있는 내용을 통해 원래의 계약 내용을 확인할 수 있다. 그 내용은 화대를 기생이 온전히 갖는 대신 회사의 주주들을 위한 공연을 1년에 2회만 하면 된다는 것이다. 그런데 갑자기 회사에서 강제로 2할씩을 납금시켰을 뿐만 아니라, 근자에 들어서는 그 화대 자체도 잘 지불하지 않는다는 것이 문제가 되었다. 더불어 시대상황에 맞춰 일본어를 배워야 함에도 이 비용에 대한 요구조차 회사가 묵살했다는 것이다. 따라서 기생 측은 '자치 경영'을 해달라는 것이 최종 요구였다. 이에 대해 회사 측은, 불황 때문에 요리점에서 화대를 몇 개월씩 밀려서 지불하기 때문에 그렇게 될 수밖에 없었다고 반론한다.

기생들은 회사 측의 계약불이행을 해결하기 위해 경찰서에 진정서를 제출하고, 경찰당국에서는 3월 15일 양 측에서 7인씩을 불러 조정해보려 하지만 협의가 이루어지지 않자, 3월 26일 공식적으로 파업을 선언한다. 결국 3월 말부터 4월초에 걸쳐, 광주경찰서를 포함해 광주번영회, 광주상업회, 광주상공회 등까지 조정 테이블에 들어와 문제 해결을 논의하게 된다. 그 결과, 4월 3일에 최종적으로 기생들의 요구대로 주식회사를 해체하고 자영으로 권번을 운영할 것을 합의한다.[33] 이로써 동맹파업은 기생

33 「쌍방 의연 대치, 광주 기생의 분규, 검찰 조정도 무효」(『조선중앙일보』, 1935. 4. 4.), 「예기 맹파 해결」(『동아일보』, 1935. 4. 7.).

들의 승리로 끝난 셈이다. 그러나 사실상의 주식회사 해산은 한참 뒤에 공식적으로 이루어진다. 조선총독부 관보 「제3241호」(1937. 11. 2.)와 「제3494호」(1938. 9. 7.)에 따르면, '주식회사광주권번'은 1937년 9월 17일 주주총회를 열어 해산을 결의하는 한편, 청산인으로 김승연, 양재업을 선임하여 청산 절차에 돌입한다. 그리고 이듬해인 1938년 6월 13일에 공식적으로 청산 종료된다.

당시 기생들의 파업은 조합 운영진의 화대 횡령이나 시간비 상승을 둘러싼 요리집과의 충돌 등이 주요 원인이었으며,[34] 그들의 '자치 경영'에 대한 요구는 대부분 남성 중심의 조합 임원들의 비리에 대항하거나 주식회사 전환 계획에 대한 반대 등의 맥락에서 주로 파업까지 가지 않고 경찰서에 탄원서를 제출하는 방식[35]으로 진행되곤 했었다. 이런 측면에서 광주권번이 이미 주식회사 설립이 된 상태에서 파업을 통해 '자치 경영권'을 획득하는 데까지 갔다는 것은 상당히 이례적인 사례로 기록될 수 있다.

4. 근대인으로서 기생

일제강점기의 기생은 근대인으로서 자신을 어떻게 설명할 수 있을까. 그들은 교방기생들의 전통을 계승시키는 예인이었을까, 기생조합이라는 근대적 기획 시스템에 의해 새롭게 탄생된 대중문화 상품이었을까, 창기

34 기생들의 파업과 관련해서는, 서지영의 논문 「식민지 시대 기생 연구(2)-"기생조합"의 성격을 중심으로」(『한국고전여성문학연구』 10, 2005, 451쪽)의 각주 37번의 기사들을 참조.

35 「남자 임원 배척으로 군산권번 분규」(『매일신보』, 1931. 1. 3.), 「대구기생 결속코 권번과 割制로 抗爭」(『매일신보』, 1932. 1. 22.), 「기생 측에서는 회사조직을 일축」(『매일신보』, 1932. 7. 19.).

와 똑같이 취급받는 매음녀였을까, 식민제국에 의해 동원되는 관제적 대상이었을까, 민족의 고통을 도외시하지 않고 기꺼이 '구제 활동'에 자발적으로 응했다는 측면에서 근대적 시민주체였을까. 이 여러 가지 이름들은 사실상 근대기 기생들에게 모두 걸려 있는 총합적 명명이었다. 그만큼 근대인으로서 이 시대의 기생들을 읽어낸다는 것은 단순하지 않은 일이다. 광주권번의 기생들에게도 이런 다양한 이름들이 발견되는 것은 물론이다. 여기서는 이들에게 부여된 그 이름들을 하나씩 확인해 보기로 한다.

광주의 기생들이 전주권번 기생들과의 일전에서 예인으로서 자존심에 상처 받은 뒤, 광주교방 기생의 전통을 잇기 위해 예기조합을 만들어 다시 세상에 등장했지만,[36] 그 세상은 이전과는 많이 달라져 있었다. 일단 '조합'이라는 시스템 자체가 단순히 조합원들의 권익을 보호하기 위한 것만은 아니었다. 그것은 외부적으로 식민정부의 통제 하에 있는 동시에, 내부적으로는 기생 개개인을 대신해 요리집이나 행사를 포함한 공연 활동을 계약하고, 활동 과정에서 생긴 문제를 처리해주고, 일상 스케줄을 관리하는 등 소위 현재 연예기획사 수준의 역할[37]을 하는 것이었다. 물론 조합이 영리를 목적으로 하는 주식회사로 전환되면서 이런 현상은 훨씬 더 강화되었을 것이다.

조합이나 주식회사가 이런 기능을 갖고 있다는 사실은 근대기 기생들의 위상 변화를 의미하는 것이기도 했다. 교방기생들이 고급관리들이라는

36 광주권번은 기생양성소인 동시에 전통예술의 교육기관이었다. 그 안에서는 매우 엄격한 교육이 이루어졌으며, 당대의 내로라하는 예인들이 선생으로 들어왔으며, 이곳에서의 교육을 통해 음악(박초월· 김소희·박송희·한애순·박정자·안채봉·박춘선·박화선·한해자·정춘실 등), 무용(이매방·박후성·한재옥 등), 기악(박석기·원광호·안치선 등) 등 다방면에서 수많은 예인들을 배출하는 산실이었다(박선홍(2014), 앞의 책, 35~36쪽 참조).

37 근대적 연예산업으로서 기생의 조합활동에 대해서는, 황미연(2010)의 앞의 논문, 159~195쪽 참조.

특정 대상만을 중심으로 예기를 선보였다면, 이제 이들은 근대적 공연무대에서 일반 대중들 앞에 자신을 상품으로 드러내 보여주어야 하는 상황이 온 것이다. 이른바 근대기 연예산업의 장에 기생 또한 대중예능인으로서 들어서게 된 것이다. 이로써 권번도 기생 개개인들도 대중적 경쟁력을 갖지 못하면 그만큼 계약에 불리할 수밖에 없었으며, 이는 또한 권번 운영이나 기생들의 생존에 직접 영향을 미칠 수밖에 없었다.[38]

대중적 예능인으로서 광주권번 기생들의 모습을 확인할 수 있는 상징적 사례로 두 가지를 들 수 있다. 1918년 경성일보사 사장이었던 야오야나기 고타로(青柳綱太郎)가 출판한 『조선미인보감』[39]과 2개의 권번(광산권번·광주권번)을 대상으로 한 인기투표가 그것이다. 먼저, 『조선미인보감』은 당시 전국 권번에 소속된 예기들의 사진과 프로필을 상세히 소개하고 있는 화보집인데, 여기에 광주권번 소속 7명의 명단(김롱주·정부용·김계화·이금희·고채운·이산옥·이롱선)이 들어 있다. 당시 광주권번에서 상위권에 드는 기생들을 중심으로 추천된 것이라 추정되며, 실제로 이들은 이후 광주 지역 신문기사에 실린 공연출연진 명단에서 확인되고 있다.[40] 아마도 이들은 다른 기생들에 비해 화대나 공연출연료 등에서 경쟁 우위를 확보하고 있었을 것이다.

---

38 기생들의 수입은 시대별·지역별·개인별로 달랐는데, 1920년대 시간비는 1시간 당 평균 1원 30전이었으며, 1920년대 중반 기생의 평균 월수입은 35~40원 정도였으나, 3원을 버는 기생도 있었을 만큼 편차가 심했다(이승연·송지영, 앞의 논문, 43쪽 참조). 1930년대 경성 내 일류 기생들이라 꼽히는 범주 내에서도 이런 편차는 존재했다. 당시 기생들 사이에서 최고 자산가였던 김월색(조선권번)이 25만 엔이었던 데 비해, 10위권 내에서 하위를 차지하는 기생들은 1~3만 엔 정도였다(가와무라 미나토, 『말하는 꽃 기생』, 유재순 역, 소담출판사, 2002, 183쪽 참조).

39 이 책은 예기의 원적과 현주소, 나이, 사진, 용모, 인품, 대표적 기예 등을 상세히 기록하고 있으며, 서문에 "조선 전도(全道) 미인의 사진과 기예(技藝)와 이력을 수집하고 조선 언문과 한문으로 서술한 책이며, 풍속교화를 달성하고 예기들의 용모와 기예를 평가하고자 발간"했다고 출판 의도를 밝히고 있다.

40 「매일신보사 광주지국 주최 독자위안회, 광주예기 출연」, 『매일신보』, 1920. 4. 28.

原籍全羅南道光州郡光州面錦町二四
現住同上
【金김 弄롱 珠주】(十六才)
技藝
僧舞、劍舞、歌曲、楊琴、伽倻琴、
南道雜歌、唱歌、春香歌 沈淸歌

綺態梅金弄珠、玉顔色白勝雪、
二八共十六歲、功夫得各技藝、
袖長々老僧舞、光閃々雙劍舞、
烈霜節春香歌、感天孝沈淸歌、
一件々占頭籌、無人不讚口讚、
全南券花叢裡、爾也爲特色香、

전남의 권반은 놀기가 죠키로
요니나 나회가 삼오는 십오에
기생이 되여셔 가무를 비우고
여러분 손님의 노리거 되앗네
렬녀의 츈향가 효녀의 심경가
승무나 검무며 양금과 가야금
날더러 물은다 누든지 훈면은
우리골 져판소 등장을 갈거나

原籍全羅南道光州郡光州面須奇屋町三四八
現住同上
【鄭뎡 芙부 蓉용】(十六才)
技藝
僧舞、劍舞、楊琴、伽倻琴、歌曲、
南道雜歌、唱歌、春香歌、沈淸歌

滿塘紅鄭芙蓉、面圓月聲轉珠、
年方成四々纔、各技藝無讓頭、
稟性是氣上殺、操行是玉的讚、
春香歌沈淸歌、伽倻琴善依様、
張三郞李四郞、東携到西迎來、
春花間秋月下、握纖手惜別離、

슈련의 명월은 오니나 용모랴
호걸의 외입장 날보고 웃네요
강릉의 경포디 달구경 가자고
넌짓시 날보고 손짓을 후는가
남원의 광한루 놀너을 가자고
은근이 날보고 손목을 잡는가
가무의 일등이 닉일홈 놉하셔
노롬을 밧으라 오라는 것일셰

光州組合

一

『조선미인보감』에 소개된 김롱주와 정부용.

한편, 1925년 들어 권번이 2개로 늘어나자 양자 사이에 은연 중 경쟁관계가 형성되었던 것 같다. 지역 내 대시민 공식행사에 한 권번만 참여한 사례를 찾아볼 수가 없다. 늘 두 권번이 나란히 참여하고 있으며, 각종 행사 후원 또한 이름을 동시에 올리고 있는 것에서 이를 충분히 짐작할 수 있다. 1926년 1월 한 신문사에 의해 제안된 두 권번의 인기를 평가하는 '현상투표'는 이들의 경쟁의식과 더불어 지역 내에서 기생들이 이미 연예인에 버금가는 위치에 서 있다는 것을 잘 보여준다.

도덕이니 문장이니 무엇무엇할 것 없이 천만 가지가 다 시대의 진운에 따라서 때를 다투어 발전되는 이때에 더욱 취미가 심장한 것은 예술과 음악일 것이다. 만일 예술이나 음악이 그렇게 취미가 있다 하면 화류계의 예기도 예술계의 한 분자가 될 뿐만 아니라 화류계도 전반 산회에서 한 분자로 보아주지 아니치 못할 것은 공인하는 바이다. 그러하므로 전남 각 도회에는 화류계가 차차 성왕

하여 갈 뿐더러, 광주로 말하면 근년에 와서 화류계가 성왕번창을 더하여 예기권번이 남북으로 분리되어 예기의 수료로 말하면 40여 명인데 가무이며 음악이 보고 듣는 자로 하여금 목을 놀낼 뿐 아니라 인물과 조행이 출중하여 갑을을 논하기 어려우나 권번이 남북으로 분리된 후 혹은 광주권번이 우승하다 하며 혹은 광산권번이 우승하다 하며 부지중 경쟁의 기분도 있고 또는 어느 권번 어느 예기가 예악이 우열한지 이것을 일반에게 소개하기 위하여 본 지국에서 현상투표를 주최하오니 일반 예악을 사랑하시는 여러분은 공평하신 이목으로 투표하기를 바라는 바이다.

-「지금부터 뛰노는 전남도 내 예악애가의 가슴, 재미있는 현상투표」, 『매일신보』, 1926. 1. 17.

제목부터 대중의 시선을 끌고 있는 이 기사를 포함해, 매일신보사는 총 4회를 연속해서 광고지면에 싣고 있다. 양 권번이 평소 우월하다며 주장하는 경쟁 분위기가 있으니, 이번 현상투표를 통해 그 우열을 평가해 보자는 내용이다. 상품도 1등 회중금시계부터, 손목금시계, 금반지, 괘종, 경대 등 순위별로 나열되어 있다. 그 투표 결과에 대해서는 따로 기사가 없어 우열의 평가가 어떻게 내려졌는지는 알 수 없지만, 중요한 것은 이미 권번 기생들이 지역에서 대중적 인기를 가늠하는 대상으로 인식되고 있다는 사실이다. 그리고 당시 기생들에 대한 인기투표는 전국적으로 유행하고 있었다.

그러나 권번 기생들은 한편으로는 이렇듯 예인이자 대중적 스타로서 화려한 위치에 있는 것처럼 나타나고 있지만, 다른 한편으로는 창기와 동일하게 매음부로서 취급받는 존재이기도 했으며, 실제로 생활이 곤란한 기생들은 매음 행위에 가담하기도 했다. 1908년 발포된 〈기생단속령〉과 〈창기단속령〉에 의해 기생은 '기예를 위업'으로 하고 창기는 '매음을 위업'으로 하는 것으로 예·창기의 구분이 이루어지는데, 이에 따라 기생의 밀매음은 원천적으로 불법 행위로 간주되었다. 이후 1916년 〈예기작부예기치옥영업취체규칙〉에 의해 기생들도 창기와 같이 건강진단을 받도록 함으로써, 기생을 사실상 매음부 집단으로 규정하는 상황이 발생한다. 그러나 실제로 벌이가 낮았던 기생들은 불법행위를 알면서도 밀매음의 유혹에 벗어날 수 없었고, 광주에서도 단속에 의해 이런 밀매음이 종종 적발되는 사례[41]도 나타나고 있다. 1936년 광주부에서는 예·창기에 대한 건강검진을 위해 유곽 지역(부동정) 내에 검사소를 설치해 검진을 실시한 바 있는데, 진단 결과 약 5%의 감염률을 보이고 있었다.[42] 대중적 예능인으로 자신의 몸을 상품화함으로써 화려한 모습으로 무대 위에 섰던 그 이면에는, 이와 같이 예기로서의 자존감이 무너지는 상황을 온전히 감당해내야 했던 기생들의 현실이 놓여 있었던 것이다.

그렇다고 해서 이들이 늘 대상화되는 존재로만 있었던 것은 아니다. 앞서 살핀 바와 같이 자신들의 권익을 위해 회사의 주주들과 투쟁해가며 자치 경영권을 얻어내는가 하면, 광주권번의 이름으로 수많은 구제 활동에 자발적으로 참여하는 시민주체로서의 모습도 보여주고 있다.

> 광주에서는 조선기근구제회 집행위원 서정희 씨의 래광을 기회로 8개 단체가 연합하여 기근 구제에 대한 강연회를 개최하였다 함은 기보

41 각주 26의 기사내용을 참조할 것.

42 광주직할시사편찬위원회, 앞의 책, 280쪽.

하였거니와 소식을 들은 광주의 양처 예기권번에서는 우리들도 비절 참절한 기근동포의 애끓는 소식을 듣고 안연히 좌시할 수 없으니 수입을 전부 구기에 쓰자 하여 거월 29일 하오 9시 광주 예기권번(북문 외)은 광주좌에 총출연하여 좌기 인사의 동정을 득하고 제 2일 즉 30일 하오 9시에는 광주 예기권번(남문 외) 총출연으로 광주좌에 개연하여 좌기의 동정을 득하였다고.

–「기근구제연주, 광주 양 권번의 기거」, 『동아일보』, 1925. 6. 2.

이들은 고아원 보조를 포함, 수해나 기근 등 천재지변으로 인한 민족적 고통 상황이 발생했을 때 지역 내외를 가리지 않고 적극적으로 참여하였으며, 자선공연이나 음악대회 등을 통해 수입을 기부하거나 아예 권번 소속 기생들이 갹출하여 기부금을 전달하는 방식으로 이루어졌다.[43]

이와 같이 근대인으로서 광주권번 기생은 면천을 통한 자율적 개인이자 지역의 문화적 주체, 시민주체로서의 성격을 가짐과 동시에 식민자본적 시스템에 포획된 타자이기도 했다. 어느 하나의 성격으로 자신을 설명할 수 없는 것, 정확히 말해 이 중층적 경계에 서서 끊임없이 진동했던 존재가 그들이었던 것으로 보인다.

5. 국악교육의 산실로

1917년 조합을 결성해 1935년 주식회사로 전환하기까지 20여 년 가까

43 「3천의 청중 광주수해 구제음악」(『시대일보』, 1925. 8. 12.), 「광주음악대회」(『동아일보』, 1929. 6. 13.), 「고아를 위하여, 광주 예기 미거」(『조선중앙일보』, 1936. 5. 23.) 등 기사 참조.

이 남성 운영주체에 의해 보호·관리 받으면서 지내온 시간을 끝내고, 회사 주주들과의 투쟁을 통해 자치 경영권을 얻어내기는 했지만, 이미 전시체제로 접어든 상황에서 권번의 자치 운영이 그리 만만치 않았을 것이다. 1937년 중일전쟁을 치른 일제는 1940년 7월 국책요강으로 '대동아 신질서 건설'을 내세우면서 1941년 2차 세계대전 개입과 함께 태평양전쟁에 돌입하게 되는데, 이러한 일제 말 상황에서 조선에 대한 정치적·경제적 통제와 수탈은 더욱 가혹해진다. 조선총독부는 한국 민중의 일상적 삶을 전시체제에 적합한 형태로 전환시키기 위해 '신생활운동'을 전개하는데, 이 내용은 1940년 8월 22일에 발포한 총독부령 〈풍속경찰취체요강〉에서 확인된다. 여기서 기생과 관련된 것으로는, 일반요리점의 영업시간을 밤 11시까지 제한한다는 것이 해당된다.[44] 요리점 영업시간 제한이 곧 기생들의 생계와 직결된 것이었음을 고려하면, 광주권번의 자치 경영이 얼마나 어려웠을지를 짐작할 수 있다.

1942년 들어 일제 당국에 의해 결국 모든 권번들에 대한 폐쇄 명령이 떨어진다. 하지만 한편에서는 권번 운영이 암암리에 지속되기도 했으며, 폐업한 기생들도 제한적이나마 개별적 활동을 했던 것으로 보인다. 광주권번의 사정도 이와 크게 다르지 않았을 것이다.[45]

해방 이후 대부분의 지역에서 권번 활동이 재기되지만, 1947년 11월 14일, 과도정부 법률 제7호 〈공창제도 등 폐지령〉에 의해 공식적으로 완전

44 「신생활운동에 거탄 업자타격은 기생뿐」(『매일신보』, 1940. 8. 23.) 참조. 또한 총독부는 1941년 9월 요리집의 유흥음식세를 올리고 술 또한 제한적 배급 정책을 실시함으로써(「판매실적여하를 불구 술을 일절 배급제로」, 『매일신보』, 1941. 9. 25.), 요리점의 영업 행위 단속을 더욱 강화한다.

45 박선홍(2014)은 『광주 1백년(2)』에서 1937년 광주권번이 폐지되었다고 기술하고 있는데, 이 연도가 '주식회사광주권번'이 해산절차에 들어간 시점에 대한 기억을 토대로 한 것인지, 실제로 그해에 기생들의 모든 활동을 중단시키는 폐지였는지는 확인해 볼 필요가 있다.

폐지의 수순을 밟게 된다. 광주권번도 해방 직후에 복설되었으나 이 법령에 의해 곧 다시 문을 닫는다. 하지만 이때 권번 폐쇄의 의미는 '공창제'의 관리대상으로서의 성격에 국한되었던 것으로 보인다. 근대기 내내 권번의 중요 역할 중 하나였던 국악교육 산실로서의 기능은 살아남아 있었던 것 같다. 전라도 지역에서도 해방 이후부터 1950년 초까지 광주, 전주, 정읍 등지의 권번에서 명창들이 창악교사로 활동했다는 증언이 있는 것으로 보아, 권번은 국악교육 기능을 그대로 유지했었다고 볼 수 있다.[46] 이 기능을 그대로 이어받아 1951년 광주권번 건물은 '광주국악원'이란 이름으로 국악인을 양성하는 교육기관으로 재탄생한다. 이로써 광주권번과 그 이름으로 활동했던 기생들은 이후 우리들의 현대사에서 완전히 사라지게 된다.

이 글에서는 근대기 광주권번만을 중심으로 했지만 사실 그들의 어깨에 이전 교방기생들의 수백 년 역사가 걸려 있는 것을 생각한다면, 광주권번을 다룬다는 것이 그리 가벼운 일은 아닐 것이다. 그럼에도 불구하고 이들에 대한 사료가 일천하여 그 역사를 복원시킨다는 것 또한 쉽지만은 않다. 따라서 이 글 또한 많은 한계가 있을 수밖에 없으며, 현재로서는 후속 연구에 기대를 거는 수밖에 없다.

---

46 해방 후 광주권번의 국악교육 기능에 대해서는, 이명진, 「광주권번을 통해 본 광주 지역 판소리의 전승양상」(『공연문화연구』 36, 2018)을 참조할 것.

참고문헌

1. 기초자료

신문자료: 『매일신보』, 『조선중앙일보』, 『동아일보』, 『시대일보』, 『조선신문』

고문서: 『호남읍지』(1871, 1895), 『지방지도』(1872), 『광주읍지』(1897)

조선총독부 관보: 「제3241호」(1937. 11. 2.), 「제3494호」(1938. 9. 7.)

靑柳綱太郎, 『조선미인보감』, 조선연구회, 1918.

2. 논문 및 단행본

광주민속박물관, 『일제강점기 광주문헌집』, 2004.

광주광역시립민속박물관, 『국가기록원 소장자료로 본 일제강점기 광주의 도시 변천』, 2013.

광주직할시사편찬위원회, 『광주시사』 제2권, 1992.

김영희, 『개화기 대중예술의 꽃, 기생』, 민속원, 2006.

노동은, 「노동은의 우리나라 음악사교실 Ⅸ」, 『낭만음악』 가을호, 낭만음악사, 1994.

문순희, 「18~19세기 京妓의 활동 연구」, 연세대 석사논문, 2007.

박선홍, 『광주 1백년』(2), 금호문화, 1994.

______, 『광주 1백년』(2), 광주문화재단, 2014.

박종성, 『백정과 기생』, 서울대학교출판부, 2003.

서지영, 「식민지 시대 기생 연구(1): 기생집단의 근대적 재편 양상을 중심으로」, 『정신문화연구』 28-2, 2005.

손태룡, 「대구지역의 기생단체 연구:일제강점기를 중심으로」, 『한국학논집』 46, 2012.

송방송, 『한국음악통사』, 일조각, 1984.

송연옥, 「대한제국기의 〈기생단속령〉 〈창기단속령〉: 일제 식민화와 공창제 도입의 준비과정」, 『한국사론』 40, 1998.

윤혜신, 「일제시대 기생의 저급화 담론에 관한 연구」, 서울대 석사논문, 2006.

이경복, 『고려시대 기녀연구』, 민족문고간행회, 1986.

이규리, 「조선후기 외방관기 연구」, 동국대 석사논문, 2003.

이능화, 『조선해어화사』, 이재곤 역, 동문선, 1992.

이명진, 「광주권번을 통해 본 광주 지역 판소리의 전승양상」, 『공연문화연구』 36, 2018.

이승연·송지영, 「일제시대 인천권번에 대한 연구: '용동권번'을 중심으로」, 『인천학연구』 6, 2007.

임종국, 『밤의 일제 침략사』, 한빛문화사, 1984.

장사훈, 『한국음악사』, 세광음악출판사, 1993.

川村湊, 『말하는 꽃 기생』, 유재순 역, 소담출판사, 2002.

홍성철, 『유곽의 역사』, 페이퍼로드, 2007.

황미연, 「전라북도 권번의 운영과 기생의 활동을 통한 식민지 근대성 연구」, 전북대 박사논문, 2010.

황미연, 「조선후기 전라도 교방의 현황과 특징」, 『한국음악사학보』 40, 2008.

감성총서 30

광주의 근대 풍경

초판1쇄 찍은 날 2022년 6월 27일
초판1쇄 펴낸 날 2022년 6월 30일

지은이 정경운
펴낸이 송광룡
펴낸곳 문학들
등록 2005년 8월 24일 제2005 1-2호
주소 61489 광주광역시 동구 천변우로 487(학동) 2층
전화 062-651-6968
팩스 062-651-9690
전자우편 munhakdle@hanmail.net
블로그 blog.naver.com/munhakdlesimmian
값 15,000원

ISBN 979-11-91277-46-3 03900

이 책은 2018년 대한민국 교육부와 한국연구재단의 지원을 받아 수행된
연구에 의한 것임(NRF-2018S1A6A3A01080752)